W9-CDX-052

PERFORMANCE

DU MÊME AUTEUR

ANTHOLOGIE DES APPARITIONS, Flammarion, 2004.
NADA EXIST, Flammarion, 2007.
L'HYPER JUSTINE, Flammarion, 2009 (prix de Flore).
JAYNE MANSFIELD 1967, Grasset, 2011 (prix Femina).
113 ÉTUDES DE LITTÉRATURE ROMANTIQUE, Flammarion, 2013.
EVA, Stock, 2015.
CALIFORNIA GIRLS, Grasset, 2016.
LES RAMEAUX NOIRS, Stock, 2017.
LES VIOLETTES DE L'AVENUE FOCH, Stock, 2017.
OCCIDENT, Grasset, 2019.
LES DÉMONS, Stock, 2020.
LIBERTY, Séguier, 2021.

SIMON LIBERATI

PERFORMANCE

roman

BERNARD GRASSET
PARIS

ISBN 978-2-246-82267-7

Le dimanche 12 février 1967, peu après huit heures du soir, dix-huit policiers dont deux femmes firent irruption dans une maison de campagne anglaise du Sussex près de Chichester.

À l'intérieur du salon, noyés dans la fumée du haschisch et de l'encens, se tenaient neuf personnes, huit hommes et une jeune fille de 20 ans nue sous une couverture de fourrure.

Les hommes s'appelaient Keith Richards, Mick Jagger, Michael Cooper, Nicky Kramer, Mohammed Jajaj, David Schneidermann, Christopher Gibbs et Robert Fraser ; la Vénus à la fourrure était Marianne Faithfull. Les policiers saisirent quelques cachets d'amphétamine, un peu de haschisch et une tablette d'héroïne.

Cette prise minime aboutit en juin de la même année à un procès dont le retentissement mondial consacra la réputation des Rolling Stones au moment où leur manager, Andrew Loog Oldham, celui qui avait inventé le slogan : « Laisseriez-vous votre sœur sortir avec un Rolling Stone ? », allait s'éloigner. L'affaire Redlands, du nom de la demeure de Keith Richards, marque le début des hostilités entre la société bourgeoise traditionnelle et la génération du baby-boom fan de pop music. Pour les Rolling Stones, il s'agissait de l'amorce d'une opération alchimique qui allait aboutir deux ans plus tard, en 1969, à la mort de Brian Jones et au concert meurtrier de l'Altamont Speedway de San Francisco. Pour Marianne, jeune sorcière au visage d'ange dont la personnalité intime souffrit du scandale, ce fut le début de la descente aux enfers qui devait la conduire à l'héroïne et à la clochardisation au début des années 1970. Le marchand d'art Robert Fraser, surnommé Strawberry Bob à cause de ses costumes en tweed rose, dandy etonien héroïnomane qui fut une des personnalités les plus en vogue du Swinging London, ne se remit jamais des mois passés en prison, il perdit sa galerie, son amant majordome Mohammed Jajaj et beaucoup de ses amis de la gentry. Nicky Kramer, jeune suiveur hippie de Keith Richards, soupçonné à tort d'être la taupe des flics, fut torturé et battu par des membres de la pègre amis de Fraser. Nul ne le revit jamais. Autre disparu, David « Acid King » Schneidermann, citoyen canadien arrivé depuis peu de San Francisco, en l'honneur de qui la drogue party du 12 février était donnée. Cet apôtre du LSD est encore aujourd'hui soupçonné d'avoir été un agent des services antidrogue américains. Il quitta l'Angleterre le lendemain à l'aube et fut retrouvé en 1975 par Marianne Faithfull. Il était devenu fou. Le photographe Michael Cooper, farfadet typique de l'Angleterre pop, auteur de nombreuses photos des Stones dont l'une représente Mick Jagger enchaîné dans sa voiture cellulaire, sombra lui aussi dans l'héroïne et mourut d'overdose quelques années après.

Un demi-siècle plus tard, je reçus un mail émanant d'une société de production, « Viva Film », qui me proposait de travailler au scénario d'une minisérie en trois épisodes intitulée *Satanic Majesties* qui voulait, je cite : « À travers la métamorphose de ceux qui allaient devenir le plus grand groupe du monde, éclairer la période 1967-1970 qui, de l'été de l'amour au concert d'Altamont, sonna le requiem des utopies. »

À 71 ans passés je me remettais très mal d'un AVC. Incapable de poursuivre ma carrière d'écrivain car je ne savais tout simplement plus écrire de livres, je vivotais de rares articles de presse, profitant de la générosité de quelques protecteurs fortunés. Pourquoi ces gens de cinéma m'avaient-ils choisi ? Je n'avais jamais écrit de scénario même si j'étais connu pour quelques livres ayant trait à cette période. Dans les années 1980, j'avais rencontré une ou deux fois Marianne Faithfull et Anita Pallenberg mais je n'avais jamais approché les Rolling Stones qui d'ailleurs ne m'intéressaient pas particulièrement. Comme tout le monde, j'avais parcouru les Mémoires de Keith Richards qui valent à mon avis surtout par ce qu'il dit de la musique et de sa façon de composer. Bref, je n'étais pas un expert autorisé. Beaucoup d'autres écrivains ou journalistes en savaient plus long que moi sur la question. Quant aux séries, je n'en avais jamais regardé une seule jusqu'au bout, la mécanique du genre m'était étrangère. Tout ce que j'avais vu me paraissait faux, fabriqué, prétentieux. La temporalité même, étirée jusqu'au maniérisme, m'était désagréable et elle ne correspondait pas à mon horloge intime, les effets cyniques imaginés par les scénaristes sentaient si fort le procédé que je ne parvenais jamais à me laisser captiver comme au cinéma dans ma jeunesse. Par ailleurs, je ne comprenais pas comment des Français, l'adresse de la production était dans le onzième arrondissement de Paris, pourraient rendre les caractères et les attitudes de l'aristocratie pop anglo-saxonne des années 1960. Tout cela menaçait d'être pitoyable.

Sur l'affiche originale du film *Performance*, le visage de Mick Jagger, nimbé de longs cheveux teints en noir, ressemble à celui d'une actrice de film érotique. Jamais son aspect androgyne n'a été plus apparent. Je m'ennuyais tant dans les bureaux de Viva Film que je regardais ses lèvres entrouvertes jusqu'au point de m'engouffrer à l'intérieur. Quel âge avait-il en 1968 ? Quelque chose comme 25 ou 26 ans. À peine plus jeune que les deux petits producteurs dont les têtes bougeaient sous l'affiche et qui ambitionnaient de rendre vie aux momies de l'époque sans pour autant se mêler d'archéologie et se salir les mains dans la poussière des années lointaines. Je posai la main sur ma capote militaire et les particules en suspension s'élevèrent en direction du plafond dans une lumière blanche sans espoir. Il était trois heures de l'après-midi, ce qui m'a toujours semblé le pire moment de la journée sauf à vivre comme la pop star déchue du film, enfermé dans une maison luciférienne à se défoncer, et encore était-ce du cinéma, une dimension qui n'a peut-être jamais existé et que l'audiovisuel moderne, de la vidéo en fait, était incapable de reproduire. Tout ce travail pour rien. Comment juger des jeunes gens ? À mon âge, je ne me sentais aucun droit d'estimer la valeur des deux garçons, polis et fermes, qui me faisaient face. À vrai dire ils ne me faisaient pas face, mais profil, chacun assis devant leur bureau bien rangé sous la lumière zénithale d'une lucarne en plastique. Propre et minable, le bureau ressemblait à ceux du commissariat de police voisin dont j'avais tâté quelques années plus tôt. Les jeunes gens, des producteurs de cinéma sortis d'une école de commerce, n'étaient pas le contraire de mes lieutenants de police de naguère. L'arrestation pour conduite en état d'ivresse avait eu lieu dix ans plus tôt, le soir où le supplément livres du *Monde* m'avait consacré une page me présentant comme un des meilleurs écrivains de ma génération.

— Quand Marianne Faithfull rencontre Mick Jagger, dans une fête un jour de vendredi saint (la date m'échappait soudain), il faut savoir que les Stones ne présentent aucun intérêt particulier pour elle. Ce sont des musiciens de rock'n'roll, un genre commercial qu'elle méprise.

J'avais dit ça de mon ton le plus snob, surtout les mots « rock'n'roll » et « vendredi saint ». Le garçon assis derrière le bureau de gauche (comment s'appelait-il ?) soupira. Voilà trois fois déjà que je rôdais autour de la même idée et cette idée, qui aurait pu à mon avis être un ressort dramatique, ne lui semblait pas correspondre au cahier des charges de *Satanic Majesties*. Il échangea un bref regard avec son acolyte occupé à mitrailler un mail, attitude à la fois concentrée et désinvolte tendant à me montrer que leur travail ne se réduisait pas à démêler des problèmes de scénario que j'aurais mieux fait de résoudre tout seul avant le rendez-vous.

— Je te répète qu'aucun flash-back n'est prévu, les sentiments de Marianne à l'égard de Mick sont ceux de février 67 et pas ceux de l'année précédente. Ce sont ceux d'une fille amoureuse qui découvre le LSD avec son mec, qui est déjà une star mondiale.

Le mot « mec » m'a toujours déplu. « Amoureuse de son mec » en parlant du réseau de sentiments incroyablement flous qui unissaient Marianne Faithfull à Mick Jagger résumait tout l'impossible de la situation. On aurait dit qu'ils le faisaient exprès – rendre l'indémêlable simplet, transformer la pensée magique de l'époque en psychologie, me renvoyer à mon job, me faire payer de ne pas être comme eux, me forcer à m'agenouiller devant le public de Netflix, devenir un esclave. Tomber en servitude à la fin de sa vie. Je me demandai si c'était arrivé dans l'Antiquité. Non, on ne prenait pas d'esclave inutile. Sénèque peut-être avec Néron. Une scène dans Tacite. Mais quel âge avait-il ? 50 ans, maximum, moi j'en avais plus de 70 et je devais supporter ça.

« Une fille amoureuse qui découvre le LSD avec son mec. » Je regardai le tableau de composites accroché au mur sous l'affiche de *Performance*. Il y avait plusieurs candidates blondes avec des nez retroussés et des franges. Après tout, en février 67 Marianne Faithfull n'était rien d'autre qu'une fille blonde avec un nez retroussé et elle portait la frange. Elle avait 20 ans, l'air ingénu. Le regard des filles au mur me sembla moins pur. Une fois de plus, l'idée me vint que la ressemblance des comédiens avec les artistes originaux était une grande erreur du genre « biopic », vouloir du ressemblant c'est déjà abdiquer toute vérité, Sartre avec une pipe, Hitler avec mèche et moustache étaient des pitres interchangeables, il aurait fallu faire jouer ça par des Japonais. Voire des enfants japonais. Devais-je m'en ouvrir à ces garçons ? Non, ils n'avaient pas la légèreté snob de ma belle-fille Esther qui applaudissait à tout ce qui pourrait rendre mon nouveau métier de scénariste moins idiot. Que faisait Esther en ce moment ? Elle devait être sortie de son rendez-vous chez l'addictologue. Une heure déjà qu'ils m'avaient enfermé dans ce placard. Ils avaient pris du retard à cause de la machine Nespresso et d'un coup de téléphone interminable. La réunion Marianne Faithfull ne finirait jamais à seize heures comme nous en étions convenus.

À mesure que le scénario avançait, chaque personnage de la série avait droit ainsi à une séance de profilage particulier destinée à le recadrer dans le cahier des charges, ce qu'ils appelaient « la Bible ». La difficulté venait du fait que j'avais repris dans l'urgence un travail d'écriture déjà en cours depuis plus d'un an, et que les scènes n'étaient pas écrites dans l'ordre chronologique mais en fonction du plan de tournage.

Marianne Faithfull, pour eux, devait évoluer d'un point A à un point B. Passer de jeune chanteuse ingénue et mélancolique du genre de Françoise Hardy à l'Ophélie héroïnomane réprouvée des médias.

Et cela entre deux événements : l'arrestation de Redlands et la mort de Brian Jones. L'idée, toujours la même, dans toutes les séries consacrées à cette époque, est de montrer la fin de ce qu'ils appelaient « l'utopie des sixties » et la métamorphose des Rolling Stones.

— Est-ce qu'on t'a communiqué le plan de la maison de Keith ? J'ai l'impression que tu ne l'as pas en tête.

C'est l'autre petit producteur qui venait de finir son mail. Il jouait le rôle de méchant flic, n'avait de cesse de montrer une légère autorité sur son collègue et par conséquent un écrasant pouvoir sur moi. Il me regarda l'air las quand je répondis jovial :

— Non seulement je ne l'ai pas en tête mais je n'ai jamais mis les pieds dans le Sussex.

J'eus l'espoir qu'il allait faire quelque chose, ne serait-ce que soupirer, mais non. Le petit coquin restait imperturbable. Je me demandais parfois si j'étais vraiment en vie ou si j'étais passé de l'autre côté, comme Marianne à Sydney en 1969, après avoir avalé cent cinquante comprimés de Tuinal. J'avais fait, moi aussi, trois jours de coma. J'étais revenu. Mais où étais-je revenu ?

Toute la besogne qu'on attendait de moi était exactement le contraire de l'art que j'exerçais avant. Par la littérature, je me serais acharné à rendre le flou hermaphrodite qui entoure les sentiments de la jeune Marianne envers les hommes et les femmes. La faute d'Eva, sa mère, descendante de Sacher-Masoch, violée par les Russes en 1945, transportée en Angleterre et qui avait entretenu sa fille dans un rapport innommable et féerique avec le réel, la faute aussi du père Faithfull, un gourou excentrique dont j'avais oublié le prénom. J'aurais travaillé ce flou comme il fallait, cette amitié amoureuse avec Mick Jagger, mais aussi avec ces homosexuels hyper-esthètes qui furent arrêtés avec eux chez Keith Richards, Gibbs et Fraser. Sans parler des échanges de personnalités entre les trois Rolling Stones. Marianne avait une sublime maîtresse indienne, Saida, et d'autres amants. Sans compter l'amitié perverse d'Anita Pallenberg. C'était un complexe où Marianne était plus opérante, plus maîtresse du jeu dans sa passivité que le personnage dans lequel ces petits crétins misogynes voulaient l'enfermer dans leur cahier des charges. Sans parler de la comédienne. Sur les photos épinglées derrière eux, celle du milieu ressemblait à France Gall ou à un flocon d'avoine ou je ne sais quelle saloperie qu'ils devaient déguster le matin dans leur appartement du onzième avec leur compagne et leurs enfants. C'était celui de droite, le chef, qui avait des enfants, l'autre était en attente. Il avait déjà la compagne mais devait compter sur la série pour s'offrir des rejetons. Le plus méchant des deux gamins lut le document que je lui avais donné d'une voix volontairement terne :

— Une fille dort par terre sous un poster d'Allen Ginsberg…

Pourquoi avais-je écrit cela ? Tout à fait oublié. Ça devait être l'idée d'un début de scène. Une fille qui dormait par terre sous un poster de Ginsberg, une situation très 1967, mais qu'on aurait imaginée plutôt à Haight-Ashbury qu'à Chelsea. Bien que Ginsberg soit passé souvent à Londres à l'époque, avec Dylan.

— Bob Dylan, je vous le répète, était pour Marianne Faithfull une personnalité beaucoup plus importante que Jagger.

À chaque minute je m'enfonçais un peu plus. Le sous-chef intervint, sans doute pour se faire bien voir de l'autre. Il voulait prendre les choses en main.

— Il n'y a pas de scène prévue avec Dylan. Et tu sais comme moi qu'au cinéma, ce dont on parle mais qu'on ne voit pas n'existe pas.

— Keith joue sur son électrophone un disque de Dylan, « The Times They Are A-Changin' » pendant que la police fouille la maison. Et c'est je crois à ce moment que Marianne monte l'escalier et laisse glisser sa couverture en fourrure, révélant aux flics qu'elle est nue. Cette nudité exposée en montant l'escalier, nudité et fourrure qui, entre parenthèses, nous renvoient à son ancêtre Sacher-Masoch, cette nudité va initier la légende noire qui va la conduire à la déchéance.

J'avais décidé de frapper un grand coup. Faute de littérature j'arrivais encore à faire des phrases. Cela ne me serait pas pardonné. Le chef prit son téléphone, sans doute pour résilier mon contrat ou chercher un autre scénariste. Non, il se renseignait sur les droits musicaux.

— Il ne pourrait pas écouter plutôt Donovan ? C'est moins cher…

— Et pourquoi pas Hugues Aufray…

Il ne sourit pas mais regarda sa montre, il était temps de récapituler les dix scènes clés qui allaient marquer l'évolution psychologique du personnage de Marianne dans les trois épisodes. Nous avions commencé par la rencontre avec Mick dans une soirée où elle se fait draguer par Andy (Andrew Loog Oldham, l'enfant manager des Stones), elle doit avoir 19 ans et lui 21. Avec son maquillage de Mod et son bagout menaçant speedé aux amphétamines, elle trouve le manager plus à son goût que le Rolling Stone. Puis vient la scène de l'enregistrement de « As Tears Go By », une des premières chansons composées par Jagger et Richards qui lança Marianne en tant que chanteuse mélancolique à la manière de Françoise

Hardy. Puis un concert à Bristol le 7 octobre 1966 au Colston Hall, où Marianne se rend dans sa Mustang neuve. Elle aperçoit Mick dans les coulisses en train de prendre une leçon de danse (« Pony ») avec Tina Turner. Éblouissement de voir la salle en transe vaudoue animée par la seule gestuelle de Jagger au milieu d'un public qui hurle si fort qu'on n'entend pas du tout la musique. Soirée prolongée à l'hôtel où le photographe pop Michael Cooper projette pour la première fois *Répulsion,* de son ami Roman Polanski. Aube dans les jardins de Bristol où Mick répond à un questionnaire de Marianne concernant les chevaliers de la Table ronde.

— Il y a un aspect printemps wagnérien dans toute cette première époque, éveil de l'innocence et des forces obscures. Marianne, qui a appris à chanter dans les chorales, est un esprit religieux et littéraire, une héroïne de Claudel bercée par le satanisme anglo-saxon et les légendes de chevalerie familiales que lui racontait sa mère.

À la fin de cette seconde tirade, les producteurs sourirent tous les deux. Ils me regardèrent, puis ils échangèrent un coup d'œil et se sourirent de nouveau. Tout à coup, je me sentais mieux. Je les aimais bien ces garçons. Ils m'avaient choisi pour cela, le vieil enchanteur, l'homme qui savait comment écrire des livres possédait encore quelques bribes du pouvoir ancien. Si je comprenais ces gens, ce n'était pas à cause de mon âge, c'est parce que je vivais au

XIXe siècle à l'époque décadente, comme Marianne. N'avais-je pas passé la soirée d'hier dans ma maison de campagne à lire à voix haute des poésies de Jules Laforgue, à la lumière de la bougie ?

Après ce bref instant d'émotion, le plus âgé des deux regarda sa montre. Dans une demi-heure, il devait aller chercher son fils à l'école. Il nous restait peu de temps pour évoquer les huit autres scènes.

Je passai rapidement sur les premiers rendez-vous, la maison sans confort où Marianne vit avec son premier mari, John, esthète drogué irresponsable, coupable d'avoir inventé le terme « Swinging London », un soir dans un pub en s'inspirant d'une lecture de Jung, les attentions de Mick, qui s'est toujours montré très protecteur avec les femmes. La scène clé se situant au moment où Jagger le chevalier blanc découvre que Marianne ne possède qu'un petit radiateur électrique de salle de bains pour se chauffer avec son bébé, Nicholas. À l'époque Mick vit encore avec Chrissie, la sœur du mannequin Jean Shrimpton. Chrissie au contraire de Marianne est une fille du début des années 1960, maquillée et choucroutée. Mick et elle se disputent sans arrêt, mais il a du mal à rompre, faiblesse qu'il montrera durant toute sa vie amoureuse.

Vient alors l'épisode de la nuit sous LSD passée avec Brian Jones, Keith Richards et le jeune dandy Tara Browne dans l'appartement de Brian et Anita Pallenberg à Courtfield Road. L'appartement que

Christopher Gibbs avait fait acheter à Anita était un bel atelier d'artiste victorien, avec un escalier en colimaçon, une loggia et deux pièces secrètes, totalement en désordre. Vaisselle sale, matelas par terre, affiches à moitié décollées sur les murs.

Le plus âgé des deux producteurs (28 ou 29 ans), qui n'avait pas oublié qu'il devait chercher son fils à l'école, me fit un geste de la main, le même genre de mimique qu'ont les animateurs radio pour vous pousser à enchaîner. On ne s'improvise pas décorateur quand on est payé pour faire le scénariste. La scène clé, s'il vous plaît ! La scène clé se passe à l'aube quand Marianne refait à Keith le coup des chevaliers de la Table ronde et que Keith la saute chez Anita et Brian. Un bon coup d'après Marianne, plus viril que Mick.

— Un peu comme les jeunes filles de Proust, les trois Rolling Stones principaux, Keith, Brian et Mick, n'ont pas véritablement d'essence stable, ils intervertissent les rôles en permanence. Avec Anita, son double luciférien, Marianne est amoureuse des trois. C'est ce composite entre deux femmes et trois garçons dont l'un est au centre, évidemment bisexuel (Mick), qui va précipiter, au sens chimique du terme, la métamorphose d'un groupe rock ordinaire en objet de fascination universel. La mort de Brian, qui a baptisé le groupe du nom de Rollin'Stone, devenu un peu plus tard Rolling Stones, sera le sacrifice fondateur des « Stones », nom sous lequel le groupe sera désigné dans la décennie suivante. Mick et Keith s'unissent en Marianne et Anita avant de pousser symboliquement Brian dans la piscine sous l'œil moqueur de Porcinet.

Le nom de « Porcinet » résonna étrangement dans le petit bureau. Je m'étais laissé emporter par le vent maudit de l'inspiration. Juste au moment où j'avais rattrapé le coup et où j'étais en train de gagner honnêtement ma vie en faisant rêver des producteurs (et Dieu sait si ceux-là avaient le rêve difficile), patatras je sortais Porcinet. Et maintenant il allait falloir que je justifie le rôle du petit cochon.

En trois mots je leur appris que peu de temps avant la fin, Brian Jones avait racheté la maison du créateur de Winnie l'Ourson et que le jardin était décoré de statues représentant des personnages de son invention tels Winnie ou Porcinet.

Le numéro un se leva, non qu'il en ait trop entendu mais l'école communale était à dix minutes de son bureau en Vélib. Il me laissa le soin de lister les scènes clés avec le numéro deux. J'en profitai pour regarder mon téléphone, un message d'Esther m'annonçait qu'elle était arrivée à l'hôtel et qu'elle allait appeler « Blanche », nom sous lequel elle avait enregistré le numéro du dealer. Bien la peine d'aller consulter un addictologue. Elle n'avait pas assez d'argent sur elle donc elle devrait m'attendre. J'avais bien peur qu'elle trouve une autre bêtise à faire en mon absence. Le producteur numéro deux était un gentil garçon, il me regardait avec pitié comme s'il devinait dans quel état de confusion mentale j'arrivais à survivre. Le pauvre, comment aurait-il pu se douter de la gravité de mon mal ? Je parlais de Marianne avec des larmes dans la voix, et puis je me mis à sangloter pour de bon en évoquant la scène clé où elle avale cent cinquante cachets de Tuinal au Hilton de Sydney et s'entretient avec un Brian Jones mort, volant devant la fenêtre du building.

— Ça ne va pas ? Tu veux un verre d'eau ?

— Tu as du whisky ?

Non, il n'y avait pas d'alcool dans les bureaux de Viva Film. Juste une fontaine à eau qu'ils partageaient avec la société de production de Bertrand Tavernier. Faute de whisky, il me tendit un Kleenex pour essuyer la morve qui avait coulé dans ma barbe.

Taxi jusqu'à l'hôtel de l'Université. Je rappelai plusieurs fois Esther qui ne répondit pas. Le soleil était descendu, le silence d'Esther était un avant-goût de sa disparition, elle s'envolerait bientôt, depuis le début je vivais dans l'attente de ce déchirement. Les vieillards amoureux et les très jolies femmes au tout début de leur vingtaine ont un secret en commun, chacun sait que tout va s'effondrer très vite, la beauté du diable pour elle, alors que pour lui approche l'heure fixée par le même diable, celui de Faust et de Don Juan. D'où la couleur sombre mais émouvante de telles amours ; d'où la souffrance que cause la moindre séparation. Nous avions si peu de temps à vivre ensemble que chaque minute passée l'un sans l'autre était un tourment. La voiture avait quitté les quartiers nord et leur population de fous, de mendiants et de drogués. Paris, qui s'était vidée d'une partie de sa bourgeoisie et de tous ses touristes, était maintenant clairement divisée en deux zones. Les quartiers riches et particulièrement le plus cher d'entre eux, le faubourg Saint-Germain, restaient seuls à peu près vivables. Je connaissais l'hôtel de l'Université depuis longtemps, il se trouvait à quelques mètres d'un autre petit hôtel où j'avais vécu bien des années plus tôt, fermé par ordre de la préfecture.

Celui-là coûtait plus cher, mais la situation de crise avait fait chuter le prix des chambres à un tarif acceptable. La chambre 12 était jolie, nous nous y plaisions.

Deux lanternes encadraient la porte de bois sombre, en la poussant je connus un bref répit, le soulagement du touriste qui rentre le soir dans sa maison provisoire. Ma vie, depuis que j'avais signé ce contrat, ressemblait à un voyage sans retour. Je ne savais pas de quoi serait fait le lendemain, ma seule certitude étant que cet état durerait jusqu'au départ d'Esther et ma mort. Pour le moment Esther était encore là à m'attendre sagement allongée sur le lit, un livre sur les genoux. Lorsque j'entrai dans la chambre elle sourit. Elle me dit : « Tu m'as tellement manqué mon amour ! »

Aussitôt débarrassé de ma capote militaire je m'allongeai près d'elle et elle se blottit dans mes bras. Elle me chuchota : « Mimi ! » et je l'embrassai. Elle me caressa la barbe et me demanda comment s'était passé mon rendez-vous. Je la fis rire en lui racontant comment je m'étais mis à pleurer sur le suicide manqué de Marianne. « Tu as compris que tu te prends pour elle ? Tu sais que tu vas te transformer en elle d'ici la fin du film ? – Bien sûr. » Esther m'avait accoutumé à ce type d'idée. Elle en changeait régulièrement. Le genre sexuel pour elle n'avait pas beaucoup d'importance. Puis sérieuse, elle m'annonça qu'« il » arriverait dans dix minutes, « il » c'était Blanche, le dealer.

Dix minutes plus tard après un message de Blanche j'étais dans le hall, je traversai le couloir qui menait à la porte de bois sombre. Je sortis sous les lanternes, je pensai à Proust au Ritz tel qu'il est décrit quelque part dans un livre. Pâle sous les lanternes alors qu'il raccompagne ses amis. À ce moment un grand Noir à vélo chargé d'un sac vert Deliveroo s'arrêta près de moi. Il me demanda : « c'est pour vous ? » je lui répondis « oui », mais quand il me tendit un sac en papier kraft contenant un sandwich club, je compris que j'avais fait erreur, il n'était pas le dealer. Je me tournai de l'autre côté et j'avisai un petit couple qui avançait sur le trottoir. Une vingtaine d'années, de type maghrébin, il avait les cheveux calamistrés, elle se cachait sous des mèches de couleur et des racines grasses. Jolis dans le style miniature. L'homme qui gérait la plateforme répondait au nom de « Blanche » d'une grosse voix de racaille et appelait Esther « ma chérie », utilisait des livreurs différents à chaque fois ou presque. Leur durée de vie était d'une semaine environ. Je les invitai à entrer dans le hall. Puis je sortis les billets de ma poche et m'apprêtai à la transaction, je ne prenais plus aucune précaution depuis très longtemps. La fille leva la tête et dit : « caméra, caméra », le garçon me précisa : « Elle a ça en elle. » Je compris qu'elle transportait la drogue dans sa vulve, et leur proposai de me suivre dans notre chambre. Esther toujours calmement allongée avait repris sa lecture. Elle leva la tête et les salua, à une inflexion de son sourcil je devinai qu'elle était un peu surprise. Pendant que la livreuse partait s'isoler dans la salle de bains, le garçon me demanda le prix de la chambre. Quand je lui répondis : « 70 euros » il parut épaté. La petite rouvrit la porte, une épouvantable bouffée de mycose vaginale me monta au nez. Je pris les deux sachets et lui donnai le fric, elle retourna dans la salle de bains, sûrement se le fourrer en elle.

Aussitôt qu'ils furent repartis, Esther ouvrit la fenêtre pour aérer avant d'entrebâiller la porte de la salle de bains avec précaution, comme un policier dans un film ou un enfant qui joue à cache-cache. Elle y entra en se bouchant le nez avant de ressortir avec un flacon de verre carré, elle vaporisa la chambre et mes mains d'eau de toilette, puis s'empressa de vider le contenu des deux sachets dans une coupelle. Elle se désinfecta les mains avec du gel hydroalcoolique. Elle avait des gestes précis de toxicomane qui contredisaient son allure sage, presque sévère. À 23 ans, avec ses traits hiératiques de beauté orientale, un portrait du Fayoum ou un crayon d'Ingres représentant un sujet biblique, elle semblait à la fois beaucoup plus jeune que son âge, et porteuse d'une dignité millénaire. Debout près de moi, m'enlaçant de ses longs bras terminés par des mains un peu épaisses, rougeâtres que j'appelais « tes grosses patounes », elle me parut encore plus grande que d'habitude. À la lumière du chevet, sa petite tête de papillon aux yeux immenses la faisait plus que jamais ressembler à un insecte de grande taille. J'embrassai sa bouche fraîche, m'émerveillant une fois de plus de son haleine toujours pure en dépit de son anorexie.

La soirée se passa très tranquillement. Esther sniffa quelques lignes, et je lui fis un petit cours de littérature. Il s'agissait d'un rituel que nous avions établi. Je jouais les précepteurs pour me délasser de mon scénario et retrouver un peu des plaisirs littéraires d'autrefois. Esther voulait écrire, son métier de mannequin l'avait empêchée de suivre des études ou même d'ordonner ses lectures ; de mon côté, j'étais en mal de transmettre un savoir personnel, une sorte de science secrète faite d'un réseau de correspondances accumulées pendant toute une vie. Je ne touchais plus à la drogue depuis longtemps, me contentant de whisky, quelque fois agrémenté d'un demi-cachet de Ritaline. Esther sur qui la cocaïne avait un effet calmant – en fait elle réagissait au stress par une sorte d'hébétude animale – écouta mes digressions tout en prenant des notes sur un cahier de moleskine noire. Le thème de la causerie de ce soir tenait aux rapports de Gérard de Nerval et de la Révolution française, et plus précisément au fétichisme d'antiquaire – cette « nostalgie », suivant l'expression impropre dont on use en général – pour les poussières de l'Ancien Régime. Je lui lus à voix haute une scène des *Filles du feu* où Sylvie essaye une robe surannée *en taffetas flambé* et deux *petits souliers de droguet blanc avec des boucles incrustées de diamants d'Irlande* chez l'oncle. « Ah je vais avoir l'air d'une vieille fée », dit Sylvie… *La fée des légendes éternellement jeune*, se répond à lui-même Gérard. J'expliquai à Esther, nouvelle Sylvie, la dernière peut-être, la ferveur intime dont se parait pour moi ce passage, le souvenir du jour lointain où je l'avais lu pour la première fois (« j'avais ton âge »), et toutes les fois où j'y avais pensé en regardant une femme essayer des robes, ce qui fut toujours un de mes grands plaisirs. En entendant cela Esther se mit à émettre un roucoulement qu'elle modulait en certaines occasions et que je trouvais très joli. Plus encore ce soir quand elle me révéla d'où elle l'avait pris : un dessin animé de Walt Disney, *Merlin l'enchanteur*. Côte à côte sur le lit nous en regardâmes un extrait sur YouTube. Le héros transformé en écureuil par l'enchanteur subit la parade nuptiale d'une jeune femelle rousse. La petite bête, dont le museau et les grands yeux noirs n'étaient pas sans évoquer certaines expressions d'Esther, émet ce curieux bruit tout en se frottant languissamment contre le pauvre enfant métamorphosé. L'érotisme de la scène, mêlé d'une drôlerie charmante, montrait à quel point les mœurs avaient évolué depuis le début des années 1960.

Après la vidéo nous fîmes l'amour, puis Esther s'endormit, un chiffon de soie noué sur les yeux. J'ai toujours été un mauvais dormeur, mais depuis mon AVC j'étais devenu aussi insomniaque qu'un vampire. Je m'installai devant le bureau de style Louis XVI pour travailler. Le goût romantique pour ce que j'avais appelé les « poussières » de l'Ancien Régime, cette douceur de vivre, n'était pas sans évoquer nos propres rêveries sur la fin des années 1960. 1967 et 1787 avaient quelques affinités. À la lumière de la lampe, je regardai une photo de Marianne en compagnie de Mick à la première londonienne d'un spectacle de Noureev, *Le Paradis perdu*. Elle portait une veste à brandebourgs sur un pantalon de velours de soie ; cigarette en main, l'œil hagard. Dans mon esprit envoûté par l'alcool, l'émotion que provoquait la jeunesse de la jeune fille endormie, dont je savais l'éphémère, et la contemplation obsédée de cette vieille photo créaient une double nostalgie, double serpent enlacé comme sur certains emblèmes. Si j'avais pu encore écrire, j'aurais rendu cette vision. Mais là, par misère, je devais construire un scénario. J'essayerais au moins de donner à ma Marianne de carton quelque chose de la poésie élégiaque qu'elle m'inspirait. « Mary Shelley sans Frankenstein », telle qu'elle se définissait dans ses Mémoires.

Pris d'un coup de cafard j'allai à la fenêtre de la

chambre et soulevai les lourds rideaux. Je regardai la rue de l'Université, vide à cette heure, à peine troublée par le passage des rares voitures qui bravaient le couvre-feu. L'humidité de la nuit m'attaqua les bronches. En fouillant dans la poche de ma veste de daim déchirée pour attraper mon inhalateur de Ventoline je fis tomber un papier à terre, il s'agissait d'une des multiples lettres d'huissier qui s'entassaient dans ma boîte aux lettres à la campagne. Au verso, je retrouvai une assez longue phrase de plusieurs lignes, écrite de mon écriture la plus serrée.

Je me sens dans une de ces crises du cœur et de l'imagination qui ont plus d'une fois bouleversé toute mon existence, brisé toutes mes relations, qui m'ont transporté dans un monde nouveau, où il ne me restait de celui que j'avais quitté que quelques souvenirs assez effacés, mais plutôt tristes, des ennemis qui nécessitaient des explications fatigantes, mais en général un vif sentiment de délivrance et la conviction que j'avais bien fait en changeant de plan de vie.

J'avais complètement oublié ce morceau de journal intime griffonné sur une lettre datée du printemps dernier. Je me dis que j'avais encore toute ma tête quand j'écrivais cela. Dans la salle de bains où j'étais allé me rafraîchir et boire un verre d'eau au goût de Javel, je distinguai à la lumière froide de l'applique des chiffres notés en tout petit au-dessus du texte : *8 janvier 1803*.

Je n'étais donc pas l'auteur de ce subtil examen de

conscience. Il me revint que j'avais dû copier ça dans une de mes lectures de l'époque, sûrement frappé par les ressemblances entre l'état d'âme ici décrit et mon marasme. L'homme qui notait cela il y a plus de deux cents ans n'était donc pas bien différent de celui que j'étais aujourd'hui. Deux siècles ne changeaient rien à la nature humaine mais les émotions ressenties au cours d'un changement brusque d'existence par un homme de 71 ans ne différaient guère de celles d'un garçon de 30 ans, l'âge du diariste. La tristesse n'était peut-être pas la même, le regret de ce qu'on avait perdu laissant place avec l'âge à la résignation craintive face à ce qu'on allait trouver. Moi qui devais, une fois de plus, évoquer la jeunesse, me mettre dans la peau de gamins riches, naïfs et célèbres, regardant mon visage abîmé dans la glace, ma barbe de Neptune, le lierre sombre de mes veines sur mes mains, je me dis que j'allais essayer de retrouver l'entrain et l'innocence de ces jours de printemps 1967. La dormeuse d'à côté me donnerait le ton, je lisais à Esther toutes mes notes, je lui faisais part de mes imaginations et de mes découvertes.

Le principal effort de reconstitution touchait à l'innocence, état d'une délicatesse des plus difficiles à restaurer dans mon esprit et dans mon scénario. Par chance, la note m'en était rendue par le bonheur d'Esther à vivre à mes côtés. L'amour des très jeunes filles est d'une eau plus transparente que les sentiments même ardents d'une femme plus âgée, la proximité de l'enfance donne à leurs éclats de rire et à leurs jeux une tonalité douce et tendre.

Le matin du 12 février 1967, le groupe de jeunes gens qui s'engouffre dans les deux Bentley des Rolling Stones pour gagner la campagne anglaise, zone hautement magique et chargée d'esprits, n'est pas bien différent de la jeune fille qui dormait là-bas sous la liseuse. Plus de cinquante ans s'étaient écoulés mais je n'avais pas de mal à imaginer les yeux limpides de Marianne sous sa frange, sa joue pure et rose appuyée sur le cuir bleu. Le même cuir où Anita, sa sœur plus perverse, telle Juliette pour Justine, va appuyer la sienne, un mois plus tard, dans cette même Bentley, lors d'un voyage en Espagne que je me réjouissais à l'avance de pouvoir raconter, tout en présageant la déception qui m'attendait au bout. Un scénario n'est pas l'œuvre, et les interventions à suivre promettaient d'être d'un goût atroce.

Il me fallait sans cesse oublier ça pour travailler, de même qu'il me fallait sans cesse oublier le jour inévitable où Esther s'en irait. J'ai toujours écrit sans penser au livre et encore moins aux lecteurs, mais à la recherche d'une vérité. Je n'arrivais pas à aimer sans penser à la fin, la vérité était que je n'avais jamais aimé autant au point de sentir mon sang circuler dans mon corps. Un animal traqué. Refusant l'envie de rejoindre Esther dans le lit, idée qui me terrorisait comme la vie me terrorisait, j'étais retourné à mon bureau, à mes livres, à mes vieilles photographies. Sur la couverture de son livre de Mémoires, Andrew Loog Oldham, le manager des Rolling Stones – mineur durant la première année en 1963, il ne pouvait signer les contrats, c'était sa mère qui le faisait pour lui –, « Andy », comme on l'appelait, sonne vraiment l'air de l'époque. Les pieds nus, il a ôté pour la photo ses bottes Pierre Cardin, serré dans un costume cintré à poches en biais, le regard dur ombré par les lunettes de camé, les doigts de la main gauche dessinant un V. Les phalanges écorchées protégées par ce que j'avais pris d'abord pour des bijoux mais qui à la lumière de la lampe m'apparaissait maintenant comme des pansements, reliefs d'une bagarre récente. Il sortait barbouillé de fond de teint, sous speed et armé dans une voiture américaine, une Lincoln je crois, qu'il ne conduisait pas lui-même, usant comme toute l'aristocratie pop d'un chauffeur, le terrible Reg, pédéraste gangster ami des frères Kray. C'est Andy, joint au téléphone à Bogotá, qui m'avait appris que Mick et Marianne s'étaient rencontrés un vendredi saint. En 1965. De retour de leur quatrième tournée en Amérique, un triomphe, où Keith avait composé « Satisfaction » dans une chambre du troisième étage d'un hôtel de Tulsa, les Rolling Stones étaient au sommet de leur première époque. Après des années de tournées épuisantes, de 66 à 68 ils ne donnèrent plus aucun concert. Ce repos du guerrier allait correspondre à leur métamorphose, sous l'influence d'un flux incessant d'argent, du loisir, des drogues, des rivalités paranoïaques, de la gentry, du Maroc, des amis homosexuels etoniens et des femmes, les deux « old ladies » du groupe, Marianne et Anita, Anita surtout, moins lettrée mais plus élégante, au feu impitoyable et nécessaire. L'épisode de Redlands, la descente de police marquent l'ouverture du cabinet alchimique, le début de l'œuvre au noir. Les petits voyous d'opérette, compilateurs de musique négro-américaine, vont devenir le colossal monstre androgyne luciférien de la seconde époque. Une photographie prise ce jour-là par Michael Cooper en plein trip de LSD révèle que la transmutation est en cours, elle représente Keith en compagnie de Mohammed, le valet-amant de Strawberry Bob. Les deux hommes sont enlacés devant un paysage de grève marine (plage de West Wittering). Affublé d'une étonnante veste chasuble à capuche en mouton blanc, Keith ressemble à une fille, il arbore des lunettes papillon à verre mercure, hollywoodiennes. L'homme qui l'enlace comme si c'était sa poupée est un beau Marocain à gros nez du genre viril. On dirait un boxeur ou un policier, il porte une canadienne de cuir noir à la Gabin et brandit deux joints de haschisch. La féminisation de Keith marque l'influence d'Anita, toujours en couple avec Brian. Keith vit la plupart du temps chez eux, dans l'atelier d'Anita. Enfantillage, aimantation, calcul. Il attend son heure.

— Mimi, viens te coucher !

J'obéis, les femmes ont le sens du tomber de rideau. Il était déjà quatre heures, si je voulais me lever demain pour prendre le train du matin, mieux valait que j'essaye de dormir. J'éteignis la lampe et m'approchai du chevet pour enlever mon pantalon. Les yeux bandés, Esther ressemblait à une victime attendant le couteau du sacrifice. Je m'allongeai près d'elle et lui chuchotai à l'oreille les seuls vers en langue anglaise que je sache par cœur :

Why, then, belike we must sin, and so
consequently die :
Ay, we must die an everlasting death.
What doctrine call you this ? Che serà, serà
What will be, shall be ? Divinity, adieu !

J'éteignis le chevet, me pressant contre sa peau tiède et dans la nuit j'entendis la voix d'Esther qui répétait les mots *Che serà, serà.*

Dès mon retour à Sainte-Croix dans ma maison de campagne, j'avançai la mise en place des scènes de Redlands à grands traits. Plus je vieillissais, plus j'étais obsédé par la fatalité. Cette préoccupation de tous les instants rejaillissait forcément sur mon scénario. À mesure que je progressais dans mes plans de scène, plans dont je devais rendre compte chaque jour à mes deux officiers traitants, je comprenais à quel point le sort de Brian Jones se scellait dès le début. Il était involontairement à l'origine de la descente de police du 12 février, même s'il était absent ce jour-là. L'affaire Redlands était un coup monté par le journal à scandales *News of the World* en riposte à une procédure lancée par les avocats de Mick Jagger. Un mois plus tôt, dans son numéro du 29 janvier 1967, *NOTW* avait annoncé en une le premier volet d'une enquête visant à dénoncer les rapports de la nouvelle vague de musiciens et de la drogue : « Pop Stars : Facts That Will Schock

You ». Après Donovan, Frank Zappa, les Who et les Moody Blues, tous accusés de se droguer mais surtout d'encourager à la consommation par les paroles de leurs chansons, les Rolling Stones étaient mis en cause. Des propos ouvertement provocateurs étaient prêtés à Mick Jagger. Le chanteur les aurait tenus dans un club londonien en présence d'un journaliste. Or Mick se trouvait en Italie avec Marianne et le journaliste l'avait confondu avec Brian. Je me souvenais que Marianne avait affirmé devant moi autrefois qu'il ne s'agissait pas d'une erreur mais d'une falsification volontaire due à la notoriété plus grande de Jagger.

Furieux contre le journaliste mais aussi et surtout contre Brian qui multipliant les bourdes, venait de poser avec Anita, déguisé en SS, pour un journal allemand, Mick Jagger avait décidé d'attaquer *NOTW* en diffamation. La légende veut que *NOTW* ait décidé alors, en collaboration machiavélique avec la police, de mouiller la partie adverse dans un vrai scandale lié à la drogue. C'est ici qu'intervint le mystérieux David Schneidermann, gourou canadien du LSD.

J'étais au téléphone en conférence avec mes deux bourreaux de Viva Film qui, selon la morale officielle, se méfiaient du complotisme. J'entendais à leurs petites voix froides qu'ils me soupçonnaient d'être un vieux freak parano. J'avais une fois de plus l'impression que nous ne vivions pas sur la même planète. Cinq minutes plus tôt, ils essayaient de me convaincre d'écrire une scène ridicule où Jimi Hendrix en concert à Londres aurait reproché à Jagger son appropriation de la culture négro-américaine. Ils voulaient absolument tailler la part du lion à Hendrix, Tina Turner ou même Marsha Hunt, l'actrice black qui allait voler Mick à Marianne. Tous ces gens devaient se montrer sympathiques, clairvoyants et politiquement justes. Dans ses Mémoires, Marianne raconte la rencontre avec Jimi Hendrix où celui-là, complètement défoncé, se comporte comme un porc avec elle devant Mick qui d'après elle garde un sang-froid de gentleman. Le « comme un porc » était très mal passé. Silence réprobateur. À ma décharge, j'étais dans un état moral très dégradé depuis la soirée de la veille où Esther avait quitté la campagne pour se rendre dans une fête à Paris et dormir chez une copine, une certaine Holy. J'avais reçu un message à 6 h 02 du matin m'annonçant « je rentre » et depuis plus de nouvelles. Il était bientôt midi et j'attendais qu'elle se réveille et me donne l'horaire de son train pour aller la chercher à la gare. Le plus important et le plus difficile était de contenir ma rage pour ne pas effaroucher l'oiseau. Les souffrances physiques que m'infligeaient la jalousie et la panique de la sentir s'éloigner devenaient chaque jour plus insupportables.

Pour me soigner, je prenais plaisir à jouer avec mes producteurs :

— Si vous refusez la théorie de la collusion entre

les journalistes et la police, le personnage de David Schneidermann perd beaucoup de relief.

En leur parlant, je regardais la photo que Michael Cooper avait prise de Schneidermann l'après-midi du 12 février. Il riait dans les bras de Keith, lui aussi avait l'air d'un enfant, un petit rouquin charmant. La mallette dans laquelle il transportait tout son attirail de drogues était une Samsonite vraisemblablement grise ou marron. On l'apercevait sur une autre photo, antérieure, prise sans doute en Californie, à voir le perron hispanique Art déco de la maison devant laquelle il posait. Les divers livres où j'avais évoqué les années 1960, et en particulier la période de 1966 à 1970, m'avaient accoutumé à déceler ce genre de détail. Un plaisir d'amateur que mes amis de Viva Film ne tenaient pas à partager et encore moins à financer.

— On s'en fout de la couleur. En fait tous les soupçons contre lui reposent d'après toi sur le fait que la police n'a pas pris la peine d'ouvrir sa mallette qui était bourrée de drogues, alors qu'ils ont fouillé tout le monde ?

— Oui.

— Ok, éventuellement on pourrait imaginer qu'il soit de mèche avec la police, mais je ne vois pas le rapport avec les journalistes.

On pouvait tout reprocher à ces garçons sauf de manquer de logique et de prudence. Si le magazine existait toujours cinquante ans après, ils voulaient éviter d'avoir un procès.

— C'est un policier dont je peux te retrouver le nom... Stanley Cudmore, qui a raconté avoir reçu l'information de la bouche d'un journaliste de *NOTW*. J'ai son nom : Robert Warren.

— C'était un policier de Scotland Yard ?

— Non un sergent de police locale, à Chichester, West Sussex. Warren avait essayé auprès de Scotland Yard, mais ils avaient refusé d'entrer dans la combine, arguant que si Mick Jagger était arrêté en train de consommer du haschisch, le lendemain toute la jeunesse anglaise se mettrait à la fumette. Même les officiers de police de Chichester étaient réticents. Leur priorité n'était pas d'arrêter un Rolling Stone mais les trafiquants qui vendaient dans les clubs ou à la sortie des écoles. J'ai lu une interview de John Rodway, le flic des stups local qui expliquait que son supérieur avait décidé d'intervenir, uniquement parce qu'il craignait que *NOTW* ne lance une enquête pour savoir la raison de ce laxisme. Je trouvais que ça faisait un bon canevas de scène. L'hésitation vertueuse de la police locale troublée par la peur des journalistes.

Je les entendais réfléchir. Un message d'Esther s'afficha, m'annonçant son arrivée plus tôt que je ne le craignais. Sa gentillesse et sa fidélité n'avaient jamais fait défaut. C'était ma jalousie qui risquait de tout gâcher entre nous. Revigoré par cette nouvelle, je me servis un verre de whisky et l'engloutis avant de reprendre la conférence. Ils n'étaient pas loin de flancher mais ils avaient un dernier argument : Norman Pilcher.

Évidemment, ils me le mirent dans les pattes. Norman Pilcher, que j'avais insisté pour inscrire au cahier des charges, se prenait pour l'Eliot Ness du Drug Squad de Londres, il s'était fait une spécialité d'harceler les pop stars, Brian Jones en particulier. C'était une vraie figure de l'époque qui roulait en Lotus Cortina customisée et collectionnait les autographes des musiciens incriminés pour ses enfants. Un fan pervers. J'avais la réponse toute prête, Pilcher était sur Brian mais il n'avait pas eu son mot à dire sur l'affaire Redlands. Au contraire ça rendait la situation de la police de Chichester plus intéressante. Au lieu d'apparaître comme un bloc compact de flics à l'ancienne, antijeunes et bornés, les défenseurs de l'ordre laissaient voir leur diversité, les variations de mobiles et de caractères entre tous ces personnages, le pourfendeur de pop stars qui s'avère être une groupie frimeuse et corrompue, et les bons policiers de province, pas si lourds que ça et terrorisés par la presse à sensation. Pour m'occuper, j'avais recopié les noms de tous ces hommes et ces femmes descendus le soir du 12 février 1967 à Redlands. J'avais la liste sous les yeux, j'aurais voulu connaître la biographie de chacun afin de leur donner plus d'âme même s'ils n'ouvraient pas la bouche pendant l'intervention. Comme les deux zouaves au bout du fil continuaient à faire la fine bouche, j'étais prêt à leur lâcher tous ces patronymes bien locaux, histoire de les dégoûter définitivement d'avoir choisi pour victime de leur tyrannie un fétichiste âgé atteint de troubles nerveux irréversibles.

— Vous voulez savoir leurs noms ?

Ils me répondirent qu'ils me faisaient confiance et que la scène du poste de police de Chichester était super a priori. Ils avaient hâte de la lire. Je raccrochai, presque bien disposé à leur égard, même si dans le mot « hâte » j'avais cru discerner une allusion ironique à ma lenteur à me mettre au travail sur les scènes dialoguées.

J'avais encore une heure à tuer avant d'aller chercher Esther à la gare, j'en profitai pour relire la fiche de David Schneidermann.

Débarqué de Toronto à New York en 1966, il était détenteur de plusieurs faux passeports et d'un inépuisable stock de LSD. Au Canada il faisait l'objet de poursuites, notamment pour avoir empoisonné un réservoir public avec de l'acide. À New York, il devint en quelques semaines et quelques parties « The Acid King ». C'est à la Factory d'Andy Warhol, en naviguant dans le sillage des Beatles, qu'il avait rencontré Brian et Anita.

Brian... J'avais oublié d'en parler avec les producteurs. Il fallait lui rajouter des scènes. En 67, Brian était bien plus qu'un pantin ivre, mais pas le poète maudit qu'ils avaient en tête. Le sacrifice de Brian était prévisible à partir du moment où les Stones avaient cessé de jouer des reprises pour se consacrer à des compositions originales. Brian, musicien-né, n'était pas compositeur. C'est Jagger et Richards qui allaient signer tous les morceaux. Pourtant, Brian, le plus original de tous, incarna à partir de l'association avec Anita le mode de vie qui devait être celui des Rolling Stones au début des années 1970. Sex, drugs and rock'n'roll. Fatalité oblige, son absence lors du raid chez Keith allait contribuer à souder plus étroitement ses deux comparses et donner à Keith, grâce à une prestation byronienne au tribunal, le rôle que Brian tenait jusque-là.

Brian était un mort en sursis depuis 1965. La noyade de 1969 n'avait rien d'une surprise. Elle était prévisible depuis le début. Voilà une des pierres d'achoppement sur quoi nous nous heurtions avec les deux petits producteurs de Viva Film. Têtus, ils tenaient pour des raisons de tension narrative à ce que la noyade de Jones, un mois après son éviction du groupe, soit un coup de théâtre, une sorte de meurtre dont les coupables seraient les deux usurpateurs. D'un côté les années 1960 dans leur pureté et de l'autre la future machine commerciale des années 1970-1980. Toujours d'après eux, la drogue avait gâché la « créativité » (je les cite) de Brian. Ils avaient retenu de mes exposés que le personnage pittoresque du dealer canadien, Schneidermann, un caractère qu'ils voulaient sottement me faire traiter à la Tarantino, avec la mallette bien rangée, le jargon commercial et le goût des armes à feu, avait été introduit auprès du groupe par Brian. Ils projetaient une scène new-yorkaise avec profils perdus d'Andy Warhol, de Lou Reed et de Nico en arrière-plan. Je n'osais imaginer les figurants grimés, les perruques, les lunettes fumées réglementaires et l'ambiance de la Factory reconstituée par la décoratrice, une Bérangère ou une Ségolène quelque chose. Elle possédait une longère non loin de chez moi et il était question que nous prenions un thé ensemble.

La cloche de l'église sonna l'angélus de midi. L'heure d'aller chercher Esther à la gare. Sainte-Croix était un village perdu dans un bocage du Nord-Ouest à la lisière de la région parisienne. J'habitais l'ancien presbytère, petite maison d'un étage couverte de glycine que j'avais transformée au cours des ans en un écrin poussiéreux rempli de livres empilés, de vieux meubles sans valeur mais pleins de charme. Je rêvassais étendu, fondu plutôt dans un très profond canapé rose hérité de la maréchale Leclerc contemplant le feu, et derrière un buste de Pomone en terre cuite, la fenêtre à petit carreaux verdâtres où se détachaient les tiges d'hortensia et la grille qui ouvrait sur le cimetière et la place de l'église. L'écrin avait beau être vide, l'écrivain disparu, l'individu qui jouait son avatar avait encore la tête de l'emploi avec sa robe de chambre Old England en tartan vert et bleu, son pyjama Charvet et ses pantoufles de velours. Je recouvris la robe de chambre par une sorte de super-robe de chambre, un manteau Lanvin croisé en cachemire marron d'Inde troué aux mites qui avait dû appartenir à un riche géant, changeai mes pantoufles pour des Crocs rose indien (mes Birkenstock en peau de vache étaient à l'étage et le temps humide réveillait mes rhumatismes), cherchai les clés de la Twingo dans le vide-poches, attrapai ma casquette de Confédéré (la même que celle de Charlie Watts dans la vidéo du concert d'Altamont) et, sous une petite bruine, traversai le jardin de curé bordé de buis qui conduisait au portail. Mes yeux tombèrent sur la boîte aux lettres que je n'osais plus ouvrir depuis plusieurs semaines. La charge négative émanant du cube en fer rouillé me serra le cœur et je me refugiai dans la petite Renault couleur framboise, remplaçante de l'ancienne Triumph décapotable qui m'avait longtemps servi de bétaillère, mais que mon avant-dernier divorce avait engloutie. À vrai dire la Triumph, achetée à une période de splendeur, ne m'avait apporté que des soucis alors que ma chère Twingo était de la famille de ces êtres fidèles qui donnent aux célibataires les plus chenus l'impression rassurante d'avoir épousé leur bonne.

La route qui menait à la gare était un chemin forestier goudronné troué de nids-de-poule. Je conduisais avec précaution. J'étais obligé de prendre ce raccourci pour éviter la nationale et les gendarmes, faute de contrôle technique. J'avançais dans un brouillard romantique, le cœur léger. Au volant je suis toujours joyeux, mes soucis s'évaporent, surtout lorsque je vais chercher une très jolie femme. De toutes les femmes que j'avais aimées, Esther était sans doute l'une des trois plus belles, et la plus jeune. Sa douceur, son égalité d'humeur, la manière charmante qu'elle avait d'écouter mes radotages et de s'émouvoir soudain, les larmes aux yeux en me disant « tu es tellement mignon », aurait pu passer pour une diablerie si ce n'était la vérité. Elle était pure et lorsqu'elle m'affirmait que j'étais le plus grand amour de sa vie, je la croyais. J'avais beau lui répondre qu'à 23 ans, il lui restait encore d'autres plaisirs et d'autres émotions à attendre, et sûrement (le cœur m'en serrait) d'autres amours, elle me répétait : « non, tu seras le plus grand, je le sais ». Qui pouvait prédire qu'elle n'avait pas raison ? Je pensais à celle qu'elle serait dans dix ans, et je pleurais avec cette sensiblerie des alcooliques et des gens superficiels. Mais là, en cette journée de printemps, dans ma petite voiture cahotante, j'étais heureux. Quelques minutes de bonheur valaient la peine de continuer à me débattre.

Le train était à l'heure, au milieu des passagers qui sortaient en troupeau sur le parking je guettai sa silhouette longiligne. Je n'eus pas le temps de m'inquiéter, elle apparut vêtue d'un short en laine et d'une fourrure très épaulée. Petite tête sous sa crinière, maquillée comme la marchesa Casati, elle ressemblait aux cover girls de ma jeunesse. Elle me souriait et ce seul sourire me payait de toutes les atrocités que j'avais commises. « Le bonheur dans le crime », l'expression me venait toujours en pensant à nous. Elle s'engouffra dans la Twingo et me donna un long baiser, le premier. Elle se détacha, me regarda, tirailla ma barbe, chuchotant « Mon amour, mon grand amour ».

J'avais pris une grappe de raisin pour elle à la maison. Elle s'en empara et commença d'en picorer les grains. Elle se nourrissait uniquement de fruits et de cigarettes électroniques. Elle me dit qu'elle était contente parce qu'elle ne s'était pas droguée à la soirée où il n'y avait à l'en croire que des couples. Je pensai que cette soirée tranquille avec des couples s'était quand même finie à 6 h 02 du matin mais gardai cette remarque pour moi. Elle ajouta « Comme tu es beau ! » et puis elle s'esclaffa quand elle découvrit que j'avais gardé mon pyjama et ma robe de chambre sous mon manteau de pacha mité. « Des Crocs !! Haha », s'exclama-t-elle en tirant sur mon pantalon de pilou. Elle me demanda si mon travail s'était bien passé. Je lui parlai de Schneidermann, le dealer de LSD. Elle m'interrompit : « J'adorerais qu'on prenne de l'acide ensemble », avec cette candeur joyeuse de petite fille riche qui trouve formidable de sortir avec un vieil épouvantail en Crocs, de vivre isolée dans un presbytère humide et de l'écouter rabâcher des légendes des siècles derniers en buvant du whisky. Cora, ma dernière femme, m'avait prédit : « Tu n'es pas près d'en trouver une autre qui supportera de vivre dans ces conditions ! » Elle s'était trompée et m'en avait voulu.

Je repris la route de Sainte-Croix, un peu inquiet de passer le seul rond-point où les gendarmes pouvaient se poster. À l'heure du déjeuner un dimanche, c'était plutôt rare. Esther m'avait oublié, absorbée par son téléphone. Incroyable comme les gens de sa génération sont capables de passer en un instant d'un épanchement sensible à une indifférence complète. Au moins, j'avais loisir de penser à mon travail. J'avais découvert que Schneidermann avait eu un prédécesseur à Londres, un an avant en 1965, date de l'apparition de l'acide lysergique sur le marché clandestin. C'était un proche du plus célèbre apôtre des drogues hallucinogènes Timothy Leary. Cet Anglais, dont le nom m'échappait (quelque chose comme Holygoolightly), passait même pour avoir initié Leary au LSD à Harvard au début des années 1960. En septembre 1965, de retour de Millbrook, le repaire des D-men, il avait ouvert un cabinet à Kings Road… avant de se faire coffrer trois mois plus tard par Pilcher et le Drug Squad. J'avais appris par cœur les déclarations qu'il avait faites à des fanzines underground. Je m'intéressais à ces types pour reconstituer le langage de la côte Ouest et leurs délires qui étaient assez différents du monde préraphaélite de l'aristocratie camée britannique. Plus proche du jargon oriental et UFO new age que du cercle magique des chevaliers de la Table ronde cher à Marianne. Dans ses Mémoires, elle raconte que Schneidermann les avait vite lassés avec son blabla « zen californien », mais qu'il avait fallu l'écouter puisque c'était lui qui avait le matos, un LSD surpuissant, le California Sunshine.

Suivant l'esprit de discipline des acid trips de l'époque, la journée avait été bien organisée. Le groupe avait quitté Londres le 11 à neuf heures du soir dans les deux Bentley des Stones, suivies du van de Robert Fraser conduit par Mohammed. Le van servait habituellement à transporter des œuvres d'art mais il était destiné à balader la troupe le lendemain sur les différents sites au programme du trip. Schneidermann fermait la caravane au volant d'une Mini Cooper. Je les imaginais bien tous, passant la journée du 12 dans le van beige de Fraser. Réveillé le premier à sept heures et demie, le Canadien avait gentiment attendu que ses hôtes se lèvent avant de faire le tour des chambres vers onze heures et distribuer sa potion. J'avais même un verbatim original de lui, rapporté par Marianne, pour me donner la note. « *This is the tao of lysergic diethylamide, man. Let it speak to you, let it tell you how to navigate the cosmos.* »

Je tenais la scène bien en main. Il ne me restait plus qu'à écrire le premier jet cette après-midi. Rédiger en anglais me divertissait de l'effort littéraire mais me posait des difficultés innombrables, surtout pour les dialogues car je n'étais pas assez fin bilingue pour attraper le slang de Keith Richards, l'anglais etonien des antiquaires gays, et le ton gentry des Ormsby-Gore, de Tara Browne ou de Cecil Beaton (scène à Tanger dans l'épisode 3) me réclamait beaucoup d'efforts et pas mal de conseils. J'avais mon spécialiste de la gentry en la personne de Pierre, un snob qui avait connu Beaton, Fraser et Christopher Gibbs, mon spécialiste cockney, Alastair, un ancien roadie des Who retiré dans le Périgord, et surtout je bénéficiais du regard d'Esther, élevée par une nounou anglaise comme au XIXe siècle.

— Quel est le programme de la journée ma chérie ?

Esther aimait organiser. Chaque matin, elle notait sur une feuille de papier, de son écriture microscopique, le plan de travail de la journée. Je n'avais plus qu'à m'y plier car elle ne manquait ni de tact ni de jugeote et respectait mes impératifs tout en ménageant les siens.

Elle leva le nez de son téléphone :

— Mimi, donne-moi cinq minutes, je finis un mail à mon agent cinéma. Hier soir j'ai rencontré un Italien qui veut me caster pour un court métrage.

Je restai silencieux, serrant les mains sur le volant. Elle m'effleura le bras sans tourner la tête et me dit d'un ton las :

— Il est gay, t'inquiète…

Dans la bouche d'Esther, les soirées sans moi étaient toujours tranquilles et les nouveaux amis masculins souvent homosexuels. J'avais pris l'habitude de la croire pour éviter de la peiner. J'aurais bien le temps de me torturer avec cet Italien lors de ma prochaine nuit d'insomnie.

En masquant, je me réservais le plaisir malsain de faire parler ma prisonnière et d'en apprendre davantage.

À peine arrivés à la maison, elle monta enfiler un vieux manteau mité, jumeau mastic du mien, une paire de pantoufles à carreaux et vint me rejoindre à mon bureau, se lovant sur mon épaule dans le divan profond de la maréchale Leclerc. Elle tenait son habituel petit mémo à la main. Elle enroula une longue jambe fine autour de la mienne.

— Il est treize heures ? Je pense travailler jusqu'à seize heures trente, ensuite nous pouvons relire ta scène si tu veux. Puis promenade pour aller voir le petit cheval blanc. À dix-huit heures, Chloé Ting (son coach fitness sur Internet), dix-huit heures quinze apéritif et cours de littérature sur Valery Larbaud.

— Il ne faut pas oublier de faire la soupe.

— Il y a juste un ou deux poireaux à rajouter, tu veux bien t'en occuper pendant mon sport ? Je préparerai la salade de fruits. On regarde quoi ce soir ? Je regarderais bien un docu sur l'entraînement des gymnastes roumaines…

Esther avait fait du sport intensif à l'âge de 10 ou 12 ans et en avait gardé la nostalgie.

— Larbaud, tu es sûre ?

— Oui s'il te plaît, je voudrais que tu me relises la fin du *Miroir du café Marchesi*.

Enfantine, elle aimait que je lui relise sans cesse les mêmes choses.

L'ordonnance de nos journées aurait pu paraître ennuyeuse mais elle nous rendait heureux. Nous étions l'un comme l'autre de nature casanière et timide au fond malgré toutes les agitations, l'instabilité de notre état. Les menaces qui nous entouraient renforçaient ce besoin de routine. Sans échanger entre nous à propos de nos craintes, nous nous sentions comme deux criminels qui s'attachaient à bien ranger et égayer au mieux la cellule dont on viendrait un jour les arracher pour les séparer à jamais. J'étais poursuivi par les créanciers, harcelé par les huissiers, menacé d'un procès par plusieurs de mes éditeurs, j'étais (mal) suivi pour un cancer de la prostate et je recollais tous les matins tant bien que mal un appareil dentaire détraqué... Esther luttait contre l'addiction, l'anorexie et une puissante mélancolie qui ne l'avait jamais quittée depuis qu'elle avait arrêté le sport à 15 ans. Il s'agissait je crois d'une faiblesse héréditaire, un mal familial aggravé par les persécutions nazies. Les persécutions plus bénignes dont j'étais l'objet contribuaient à son attachement sans faille. Nous vivions à Sainte-Croix, barricadés derrière le portail que je maintenais fermé avec une chaîne cadenassée, ne sortant que pour l'approvisionnement et les promenades quotidiennes qui nous conduisaient toujours sur les mêmes sentiers reculés, une chasse où le moindre ramasseur de champignons nous semblait menaçant. Esther aimait la nature et les animaux, elle avait une affection particulière pour un petit cheval blanc, une bête sans âge, de taille plus que médiocre, laid et qui ne lui manifestait aucun égard particulier. Tous les jours il fallait lui rendre visite. Depuis une semaine il avait disparu de sa pâture et Esther me harcelait de questions inquiètes : « Il est où le petit cheval blanc ? » À notre dernière visite, il était couché sur le flanc et je craignais que l'équarrisseur ne lui ait fait un sort. Je la rassurais en lui disant qu'il avait mangé trop de pâquerettes et qu'il était devenu invisible.

Il arrivait que mon téléphone sonne durant nos promenades. J'avais encore pas mal d'amis mais il m'était de plus en plus difficile de leur répondre. J'aurais voulu que nous nous retirions dans une solitude plus grande. Je rêvais de vivre dans un arbre ou dans une cabane. Esther partageait ce goût, même si Instagram occupait une partie de sa journée. Ce jour-là, je répondis à un numéro que je ne connaissais pas, ce qui ne m'arrivait jamais mais j'attendais la visite d'un électricien, l'installation du presbytère, hautement fantaisiste, réclamait des réparations constantes. Aboiement de gros chien dans l'écouteur, un éditeur, le directeur d'une des plus anciennes revues littéraires parisiennes. J'étais surpris d'avoir de ses nouvelles car mon dernier livre remontait à plus de trois ans et la rumeur voulait que je sois tombé très bas. Il avait appris que je travaillais sur les Rolling Stones. Je lui dis la honte que j'avais de ce travail, ce qui le fit rire. La sincérité passe souvent pour de l'humour. En quelques phrases, je compris qu'il était passionné par le sujet et qu'il connaissait le dossier des Stones mieux que moi. Il voulait me commander un texte sur le séjour au Maroc de Keith, Anita et Brian. C'était l'objet du second épisode de la série et j'étais en train d'accumuler de la documentation là-dessus. Mon interlocuteur avait connu un certain Jean de Breteuil, aristocrate voyou lié à la French Connection, fils d'une notabilité franco-marocaine de l'époque. Il me proposa de venir déjeuner dans son bureau, depuis la fermeture des restaurants les éditeurs recevaient leurs invités pour de curieux pique-niques entre les piles de manuscrits. J'acceptai volontiers, l'homme était un ivrogne sympathique, ultime représentant de l'édition française des années 1970. Je raccrochai et je rapportai à Esther l'objet de la conversation. Elle me prit la main et me dit que ce serait peut-être l'occasion pour moi de recommencer à écrire vraiment. Elle sentait depuis un moment que j'avais envie de m'y remettre, la manière dont je lui parlais de mon scénario ressemblait déjà à de la littérature. Il était vrai que je luttais constamment pour recadrer mes rêveries aux dimensions d'un script. Le merveilleux voyage en Espagne, accompli peu après l'affaire Redlands, par Keith, Brian, Anita et le modèle Deborah Dixon, compagne de Donald Cammell, voyage printanier à travers la Castille et l'Andalousie, entrecoupé d'incidents, d'arrestations, d'hôpitaux, de disputes et de sexe, réveillait des tonalités que j'avais déjà fait sonner dans mes livres. En littérature, j'ai toujours aimé les variations, reprendre un canevas, comme le voyage en voiture en Espagne, et le retravailler en développant de nouvelles gammes, éclairant des angles morts, essayant de nouvelles attaques. Il se trouvait que les premiers repérages de *Satanic Majesties* avaient commencé en Andalousie et qu'il était question que je rejoigne l'équipe là-bas pour aménager les scènes avec le réalisateur. En dehors de la routine, Esther n'aimait rien tant que rouler en voiture avec moi. J'étais tenté depuis un moment de racheter une vieille BMW qu'un garagiste local avait en dépôt. Elle valait deux mille euros et j'hésitais, n'en ayant pas l'usage. À l'évocation de ces projets je trouvai Esther si ravie que je ne doutai plus une seconde. Les deux rabat-joie de Viva Film pourraient bien faire la gueule, je m'en fichais.

Était-ce l'excitation due à ce projet ? Je passai plusieurs soirées à peiner sur la scène LSD du 12 février. Les pérégrinations en van de la petite bande. Tout avait mal commencé pour Mick et Marianne que le California Sunshine avait rendus malades. C'était drôle de les voir défaillir sous l'œil indifférent du reste des convives. À vrai dire les témoignages étaient flous… J'avais assez envie de les faire vomir mais je n'étais pas sûr du bon symptôme, j'avais envoyé un mail à Marianne mais elle ne m'avait pas répondu. Quant à Jagger, il ne voulait pas entendre parler de cette histoire. Keith était dans son refuge des Bahamas et j'avais des questions plus intéressantes à lui poser.

Dans le doute, j'avançais sur les autres prévenus. Les caractères de Gibbs et Fraser ne me posaient aucun problème, leur côté etoniens flegmatiques et pince-sans-rire opérait en binôme. Un gentleman ne parle pas beaucoup. Mon ami Pierre avait bien connu

Gibbs à Tanger et je n'avais pas de mal à l'animer. Mohammed Jajaj, le seul à ne pas avoir pris d'acide, se montrait aussi un bon client avec ce côté paternel, tactile et louche des serviteurs amants. Le petit dealer canadien new age était monolithique, et le parasite hippie une simple silhouette. Restait Michael Cooper le photographe, très actif durant toute la journée, ne cessant de mitrailler ses amis avec son appareil photo, tout en amusant tout le monde avec un délire verbal ininterrompu. Là il me fallait rendre la grande jeunesse et la grande naïveté de l'époque, accentuée par le LSD. Les drogués disent souvent des bêtises. La partition de Cooper se jouait en contrepoint des délires visuels dus à l'acide. Les scènes de drogue au cinéma sont quasiment impossibles à réussir. Les petits producteurs n'avaient qu'*Easy Rider* à la bouche et je voyais d'ici les distorsions psychédéliques du film de Dennis Hopper que le directeur de la photo allait imiter. La scène centrale de *Performance* eût été une référence plus juste mais le film avait fait moins d'entrées au box-office.

Le plus dur était le découpage de la journée. Effet classique des trips d'acide, rien n'arriva comme prévu. Tout s'était passé cahin-caha, un grand n'importe quoi. D'après les souvenirs de Marianne, ils avaient d'abord voulu visiter la maison d'Edward James, un mécène surréaliste américain, mais sa belle demeure de West Dean House située non loin de Brighton était fermée. Commença une errance en van dans la campagne anglaise, durant laquelle, toujours d'après Marianne, ils balançaient entre le rire et la folie. Ils avaient fini sur la plage de West Wittering, s'émerveillant des galets et des coquillages. Il existait plusieurs photos de ce délire. Mon premier canevas était bâti là-dessus, mais entre-temps Esther avait découvert un ouvrage entier consacré à la question par un journaliste anglais qui corrigeait cette version. D'après l'auteur, tout avait commencé par des délires autonomes autour de la maison de Keith. Marianne s'était éclipsée dans les bois pour communiquer avec les arbres. À sa réapparition, les bras chargés de vieilles branches, de mousses et d'autres objets de féerie, Keith avait battu le rappel pour entraîner tout le monde sur la plage. Première virée en van sous la protection de Mohammed. La lumière des clichés de Cooper indiquait qu'ils avaient été pris vers midi. Retour à Redlands, tentative burlesque de navigation dans le ruisseau voisin à bord d'un vieux canot pneumatique laissé au garage par les anciens propriétaires. Échec total. Image de Keith couché par terre, hilare dans sa peau de chèvre. Nouveau voyage en van jusqu'à la maison d'Edward James qui se révèle plus difficile à retrouver que prévu. Arrivée aux grilles vers cinq heures de l'après-midi. La maison vient de fermer au public. Gibbs connaît les gardiens mais en dépit de longues palabres, ceux-ci refusent de les laisser entrer. Retour à Redlands vers cinq heures et demie, à la tombée de la nuit, dans une atmosphère fantomatique. Bain de Marianne. Visite inopinée du Beatles George Harrison et de sa fiancée. Juste après leur départ, vers huit heures, un visage de femme apparaît derrière les vitres, c'est la police.

Voilà des jours que je me débattais avec l'organisation de ces saynètes. La production insistait sur le côté « éclate sympa entre copains » mais moi je m'accrochais aux séquences de voyage en van, façon *Massacre à la tronçonneuse*. Je n'arrivais pas à me détacher d'une tonalité *horror movie* qui déplaisait aux deux enfants de chœur de Viva Film. Pour moi, l'arrivée de la police derrière la vitre était une vision de film de terreur. Je la voyais d'ailleurs précédée de travelings extérieurs, suivant un effet visuel classique des films de genre.

Quand j'eus le malheur de prononcer le mot « travelling », on crut bon de me rappeler que je n'étais ni directeur photo ni « réal ».

Le réalisateur était aux dernières nouvelles un Coréen, auteur d'une série à succès sur les momies égyptiennes. À voir les photos de lui au festival de Cannes en 2019, il semblait avoir une vingtaine d'années.

J'obtins, non sans mal, un rendez-vous par vidéoconférence. Quand le Coréen me vit, son visage déformé exprima un étonnement qui se transforma en respect glacial. Derrière ses lunettes et son acné, on aurait dit un employé des douanes peu commode.

Vu mon âge, il dut juger qu'on m'avait engagé parce que j'avais connu les Rolling Stones. Il parlait anglais comme une mitraillette, multipliant les termes techniques et le jargon des informaticiens. En revanche, je découvris très vite qu'il connaissait bien le dossier, mieux que mes interlocuteurs français. Il avait tout lu, tout assimilé. Pas un nom, pas un détail qui lui échappât.

Travailler avec lui me faisait avancer plus vite que les laborieuses réunions chez Viva Film. Il gagna toute mon estime quand il utilisa le mot *dingy* pour désigner le canot pneumatique dégonflé que Keith et ses amis avaient tiré d'un vieux hangar en vue de leur partie de canotage minable dans un ruisseau. Personne ne connaissait plus le *dingy*, courant dans les années 1960. Un nom de marque en fait. L'entendre prononcer *ding'i* avec l'accent coréen me donna envie de prendre ce poupon dans mes bras. De son côté, même s'il ne le montra pas, je perçai qu'il était impressionné par mon sens du détail vrai et mon souci d'archéologue. Son mépris pour les Français et la gêne à l'égard de mon anglais flottant cédèrent devant mes expertises. Ô merveille, il sembla attraper mon idée d'*horror movie*. Sortant des momies et de la malédiction des pyramides, il n'était pas dépaysé. Manifestement j'avais affaire à un grand fan du genre. En psychologie, il se révélait moins calé. Il n'avait pas le même respect que moi pour l'âme mystique et trouble de Marianne Faithfull. Il s'étonna avec un rire d'enfant cruel de la mollesse de la police anglaise qui n'avait pas foutu tous ces drogués en prison. Mes considérations sur la mansuétude des fonctionnaires de Chichester et le pouvoir de la presse lui étaient familières, je compris qu'il avait déjà lu et validé la scène du commissariat, ce qui montrait que le relais était très rapide et que les deux sbires de Paris, sous leur air blasé, soumettaient à chaud mes textes à leurs associés canadiens. On me laissait croire que j'étais une vieille outre à whisky sans ressort pour mieux me presser comme un citron.

Je raccrochai satisfait ; quelques heures de travail suffirent à monter les séquences. Pour me récompenser, j'allai faire un tour du jardin. Esther était dans son bureau, qu'elle appelait sa « cage », un kiosque 1890 qui avait dû servir de salon de musique ou d'oratoire au curé. Elle s'y réfugiait des après-midi entières à écrire, à dessiner ou à jouer du piano. Il m'avait fallu plus de cinquante ans pour rencontrer un caractère aussi bien accordé avec le mien. Le loisir qu'elle me laissait, l'indépendance dont elle faisait preuve, m'apaisaient. Aucune femme ne m'avait fichu la paix à ce point tout en se montrant amoureuse et fidèle. Parfois, je me demandais si elle n'était pas un peu folle d'accepter cette vie de recluse à la campagne avec un anachorète. Jamais plus elle ne serait aussi séduisante qu'en ce moment et elle offrait ses lys et ses roses à un vieux desperado désargenté, édenté et parfois saoul. Peut-être avais-je encore un fond de gaîté et d'équilibre qui la rassurait. J'avais réussi en quelques mois à la détacher de la cocaïne et des soirées sans espoir et sans grand intérêt où elle s'abîmait durant la longue période où elle avait été ma belle-fille. Elle venait d'avoir 20 ans la première fois que nous nous étions rencontrés. C'était à un dîner de gala de l'Opéra, Cora, ma femme, me l'avait présentée, j'étais tombé des nues, ignorant tout de cette sublime parente. J'ai toujours été séduit par les gens mystérieux et Cora l'était au plus haut degré. Quand elle me sortit cette merveille de sous sa cape, m'annonçant qu'elle était sa fille sans préciser par quel tour de magie, j'en étais resté sidéré, tout en m'efforçant de cacher mon émotion. Nous ne dînions pas à la même table mais je m'étais arrangé pour garder Esther dans mon champ de vision. Elle se levait fréquemment, je craignais toujours qu'elle ne revienne pas. Cora était une actrice encore assez célèbre et les photographes n'arrêtaient pas de nous déranger. J'en profitai pour m'éclipser, je croisai Esther dans le promenoir, nous nous sourîmes et nous échangeâmes quelques mots. Je compris qu'Esther avait été conçue par Cora à l'époque d'un premier mariage avec un Suisse. Mariage dont elle ne parlait jamais. Esther venait d'arriver à Paris dans l'espoir de faire une carrière d'actrice et de modèle comme beaucoup de très jolies filles de plus d'1,75 mètre. Elle sortait avec un musicien à peine plus âgé qu'elle dont elle semblait amoureuse.

Nous nous étions peu revus jusqu'au moment où une circonstance exceptionnelle fit qu'Esther vint s'installer chez nous à la campagne pour échapper à l'atmosphère de Paris, devenue irrespirable.

Sous les dehors d'une courtoisie presque désuète, Esther et sa mère se tenaient en respect, au sens qu'elles ne s'entendaient guère et se surveillaient mutuellement. J'avais donné à ma belle-fille et à son fiancé guitariste une chambre au rez-de-chaussée de la maison, mais elle ne s'y plut pas, prétextant des cauchemars. Ils prirent leurs quartiers dans une autre chambre plus petite, située au même palier que la nôtre.

Il m'arrivait souvent de me lever la nuit pour travailler à un livre. J'étais encore écrivain, les poursuites du fisc et tous les embarras de l'existence, la maladie nerveuse de Cora, tout semblait même concourir à me donner une force diabolique. J'avais installé mon bureau dans la plus grande salle de la maison, un genre de cabinet de travail à la Faust que j'éclairais avec quelques veilleuses. J'entendais parfois quelqu'un marcher à l'étage avec précaution, un fantôme. Avant l'aube, je remontais dans mon lit et je croisais Esther enveloppée dans une de mes robes de chambre, assise en tailleur dans une bergère qui se trouvait avant le seuil de ma chambre sur le palier du premier étage, à la lumière d'une bougie elle écrivait ou dessinait, exactement comme aujourd'hui dans le kiosque du jardin. À ce point de vue au moins rien de changé depuis la catastrophe.

Je n'eus pas besoin de taper au carreau pour qu'elle lève la tête de son ouvrage. L'instinct lui annonçait toujours ma présence et il était rare que je puisse l'observer sans qu'elle s'en aperçoive. Son curieux petit faciès, dont les yeux noirs bordés de cils immenses dévoraient tout ce qui n'était pas pris par la bouche, ressortait du foulard vert dans lequel elle s'était emballée comme une musulmane. Elle se leva, longue silhouette, d'une étroitesse de momie, toujours, comme naguère lorsqu'elle était encore ma belle-fille, enveloppée de ses multiples oripeaux, robe de chambre en soie, couvertures, caleçons divers qui lui donnaient l'air d'une folle chiffonnière ou d'un ermite à la Léautaud. Elle vint à la porte et m'embrassa longtemps sur la bouche. Je ne me lassais pas de sa fraîcheur, la claire fontaine que me chantait ma mère quand j'étais enfant. Quand je la voyais si heureuse, j'avais l'impression d'être l'objet d'un enchantement. Il y avait du Merlin ou du Méphistophélès derrière cet amour impossible et pourtant fixé.

Je lui demandai si elle voulait m'accompagner au garage pour aller acheter la voiture qui m'attendait depuis des mois. Elle accepta sans hésiter. Elle n'aimait pas que je la laisse seule. Je lui avais décrit le garage, était-ce vraiment un garage ? Lui aussi semblait endormi par un sort, et la curiosité de le visiter était grande. Nous devions nous y rendre à pied, le bâtiment isolé dans la campagne était à vingt minutes de marche. Le temps qu'elle se change, un rituel compliqué et de manière générale elle était très lente, réagissant au stress, toute sortie en était un pour elle, par une méticulosité farouche et un train d'escargot, je décidai de relire quelques éléments de biographie qui permettaient de mieux orner la personnalité d'Anita Pallenberg.

A.P.

Actrice et modèle germano-italienne née à Rome en avril 1942 sous le signe du Bélier.

Éducation classique dans une école privée allemande, maîtrise cinq langues.

Vit en Italie à l'époque de la Dolce Vita avec le peintre Mario Schifano.

Modèle à Paris dans l'agence Catherine Harlé qu'elle considère comme sa mère adoptive.

Rencontre les Rolling Stones dans les coulisses du concert de Munich en septembre 1965. S'éprend de Brian Jones qu'elle croit, d'après Marianne Faithfull, être le leader du groupe.

Son portrait moral par Marianne Faithfull :

« Elle parlait un déconcertant langage mêlé de hip et de dada. Un argot incroyable à base d'italien, d'allemand, de cockney qui broyait la syntaxe. Au bout de deux phrases, on était perdu. Et qu'est-ce qu'elle a voulu dire là ? Soit elle se payait votre tête ou elle était l'oracle de Delphes. Sa séduction maléfique passait par

là. À elle seule, elle déclencha à Londres une révolution culturelle en faisant se rencontrer les Stones et la jeunesse dorée. Comme bien d'autres choses à cette époque, tout a commencé par une soirée. Grâce à Mario Schifano, elle s'était liée avec les enfants de Lord Harlech, Jane, Julian et Victoria Ormsby-Gore. Par eux, elle avait fait la connaissance d'un groupe de jeunes aristocrates et de riches dilettantes, dont Robert Fraser, Sir Mark Palmer, Christopher Gibbs et Tara Browne. Tous entichés de pop stars. Elle seule savait comment s'y prendre. »

Son atelier :

« C'était un classique atelier d'artiste très haut de plafond. L'endroit, d'après Robert Fraser, aurait pu être transformé en un appartement très bien mais nous savions tous que cela ne changerait jamais. Pendant tout le temps où Anita et Brian ont habité là, l'appartement est resté dans l'état où il se trouvait le jour de leur emménagement, à l'exception de quelques meubles et de deux ou trois animaux en peluche bizarres mangés aux mites, vestige d'un film qu'Anita avait tourné en Allemagne. Anita et Brian étaient comme deux enfants riches ayant hérité d'un palais en ruine. »

Anita et Brian :

Chaque jour ils endossaient leurs fourrures, leurs vêtements de satin et de velours, paradaient et invitaient des gens. Tous deux adoraient le shopping et étaient extrêmement vaniteux. Plus question d'homme ou de femme dans ces numéros narcissiques où Anita transformait

Brian en Roi-Soleil, en Françoise Hardy, en reflet de sa propre image.

Avec Keith... quelques traits :

– Comment elle se moquait de la Bentley Blue Lena de Keith Richards, la trouvant trop conventionnelle. Elle lui reprochait d'employer des mots comme « nice », qu'elle jugeait vulgaire.

– Comment elle l'avait, d'après les Mémoires de leur dealer Spanish Tony, poussé à acheter la Mercedes officielle d'un nazi qui avait abouti le diable savait comment dans un garage de la banlieue londonienne. Monstre de ferraille de quatre tonnes qui devait accumuler les pannes et les accidents.

– La fascination d'Anita pour le IIIe Reich était la cause des photos du magazine allemand où Brian Jones était déguisé en SS. Elle ressortait aussi à Villefranche dans la villa Nellcote, anciennement occupée par la Gestapo et dont elle prétendait que les sous-sols, qui servirent de studio d'enregistrement pour le double album Exile on Main Street, *avaient servi de salles de torture.*

– Anita chuchotait à Marianne que Brian n'en avait plus pour longtemps. Ceci en la présence de ce dernier. Elle était d'après les Mémoires de Marianne coutumière de ce genre d'apartés.

– À en croire Spanish Tony (source riche mais peu fiable, un « porc » d'après Marianne qui avait couché avec lui), Anita aimait les très jeunes proies, garçon ou fille, et aimait surtout les shooter pour les faire tomber

dans l'héroïne. La fille de la cuisinière de Villefranche en avait fait l'expérience à 12 ou 13 ans.

– En 1979, en l'absence de Keith, un garçon de 19 ans soi-disant jardinier s'est tiré une balle de revolver dans la tête, dans le lit d'Anita.

– Toutes ces monstruosités, au regard de la morale contemporaine, étaient plus courantes et moins réprouvées jadis. On trouve les mêmes éléments (fascination nazie et goût décadent de la corruption de mineurs) chez certaines pop stars de l'époque. Cette déviation est en partie imputable à la cocaïne qui aiguise le sadomasochisme. Son personnage de la Reine noire dans Barbarella *de Roger Vadim (juin-juillet 67) lui était monté à la tête, aggravant sa confusion entre le mal réel et le romanesque.*

J'avais encore vivement ressenti ce côté diablesse lorsque je l'avais rencontrée dans les années 1990. Toujours maigre, serrée dans des leggins et parée d'un grand chapeau à la mode d'alors, elle dégageait une charge vampirique. Momifiée mais sexuellement chargée, elle avait perdu cette allure de blonde à frange, style Mireille Darc ou Amanda Lear, qu'elle avait dû attraper dans l'agence de modèles Catherine Harlé. Si l'actrice de *Satanic Majesties* était calquée sur le physique d'Anita, une comédienne belge qui ressemblait aussi un peu à Betty Catroux, la muse d'Yves Saint Laurent, il faudrait affranchir mon Coréen sur ces travers, les deux Français n'étant pas loin de la considérer comme une simple groupie, bête de mode, influenceuse et fan de rock. Cette manie de lisser le passé pour ne pas choquer la sensibilité moderne ni effrayer les guichets risquait de transformer l'équipée espagnole vers le Maroc en bluette.

En sortant de Sainte-Croix, il fallait monter une pente assez raide pour atteindre le lieu dit *le Bois des Prêtres* où se trouvait le garage. Mon garagiste était un original, il avait agrandi la maison de ses parents en construisant de ses mains le bâtiment qui lui servait d'atelier. Si, à en croire la psychologie viennoise, le bonheur est un rêve d'enfant accompli, voilà un homme heureux. En montant la route départementale qui serpentait jusqu'au sommet, je racontai à Esther comment il avait d'abord, adolescent, fabriqué une maquette de son garage avant de le bâtir en taille réelle des années plus tard. Contrairement à d'autres femmes, peut-être parce qu'elle était suisse, pays où les belles voitures abondent, Esther s'intéressait à ces questions mécaniques autant que les amazones des années 1960-1970. Historiquement, cela correspondait à une période où l'accession des femmes à une forme de liberté passait par l'imitation des conduites masculines. Il faut dire que les voitures étaient plus belles qu'aujourd'hui et les hommes infiniment plus assurés. La mentalité cowboy restait encore très vivante, même chez les hippies et les pop stars. Les filles qui se frayaient une place près de ces derniers, si elles ne jouaient pas les poupées de service, se comportaient comme les femmes outlaws du Far West. Tout en marchant au bord de la route, la conversation avait dévié vers mes obsessions du moment. Je m'arrêtai en pleine chaussée pour noter *Bonnie & Clyde* dans le carnet à spirale que je serrais toujours dans ma poche. L'influence du film d'Arthur Penn sorti en 1967 avait été considérable, aussi bien sur la mode rétro que sur le comportement des couples de l'époque. Je me souvenais maintenant d'une photographie prise sur le parking de l'Epi-Plage à Saint-Tropez, sans doute au moment du festival de Cannes de 1967. Elle représentait Keith adossé à la calandre de Blue Lena entre Zouzou et Anita qui portait un ensemble Courrèges blanc. La photo pouvait être de Jean-Marie Périer dans *Mademoiselle Âge tendre* ou *Salut les copains*. Il faudrait que j'appelle Zouzou pour vérifier. L'attitude des trois, la manière dont ils posaient devant la Bentley, n'était pas sans évoquer les célèbres portraits de Bonnie Parker et Clyde Barrow. Le goût de Keith pour les armes à feu et sa complicité dangereuse avec Anita, le paysage désertique des sierras andalouses collaient avec l'ambiance créée par Arthur Penn. *Bonnie & Clyde* donnerait la note juste à mon Coréen pour la descente à Gibraltar.

L'attention d'Esther à mes radotages me réjouissait, cette patience d'ange se justifiait par un commun souci d'esthétique. Certaines filles très belles et très jeunes se montrent extrêmement sensibles à la beauté au sens large. La conscience de soi, l'émerveillement devant le plus grand don que la nature peut donner à un être, les ouvrent à une perspective platonicienne de l'idéal. Rien de ce rejet envieux et mesquin cent fois constaté chez d'autres. Nous reprîmes notre ascension, de sa voix la plus flegmatique elle me dit :

— Au fond tu aimerais faire le boulot de Dean Tavoularis ?

Comment se souvenait-elle de ce nom ? J'avais dû le citer une fois devant elle pour regretter l'absence du poste de *set director* dans le cinéma français. Dean était le mari d'Aurore Clément mais aussi le *set director* de Coppola. Plus qu'un décorateur, c'était un conseiller artistique au sens large, ce qui donnait l'unité esthétique des films du réalisateur. Esther avait raison, j'allais encore me faire recadrer par les deux producteurs. Le souvenir me revint de la commande de nouvelle qu'on m'avait passée, inconsciemment j'essayais de redevenir maître à bord. Je regardai Esther et puis soudain je pris conscience que j'étais sur le talus d'une route de l'Île-de-France, sur le point d'acheter une voiture qui ne me mènerait nulle part, en compagnie d'une jeune fille qui n'avait peut-être pas toute sa raison, caractère lunatique que la transgression majeure qu'elle avait commise avait dû troubler encore davantage. Deux fous perdus dans la vie. Elle vit mon trouble, elle me dit : « Qu'est-ce qu'il y a mon amour ? » Je répondis : « Rien. » Un nuage dévoila le soleil et le paysage s'éclaira.

Coucher avec ma belle-fille et me mettre en ménage avec elle m'avaient rendu la nature étrangère. Cela m'était déjà arrivé à une époque de ma vie quand j'étais à fond dans la drogue. Je disais : « Les arbres ne m'aiment plus. » En montant cette côte que je connaissais si bien, où se découvraient entre les hêtres et les sapins un joli point de vue sur Sainte-Croix et une vaste ferme médiévale qui couronnait l'autre versant du vallon, je ne ressentais rien. Sans doute étais-je trop préoccupé de moi-même et trop effrayé par l'avenir. Hier soir j'avais lu à Esther le fameux passage de la *Cinquième rêverie* où Jean-Jacques parle du bonheur d'être étendu dans une barque sans que rien le trouble, aucune passion, aucun espoir, aucun sentiment. Du chinois. Autrefois les mêmes mots m'émouvaient aux larmes, là rien. Si, une petite nausée, comme un lendemain d'alcool.

Nous arrivâmes devant la grille du garagiste. Elle était fermée. Je sonnai, au bout de quelques instants, son chien, un bâtard de berger, surgit en aboyant. Esther frémit et se serra contre moi, elle avait peur des chiens, mais elle se reprit à l'arrivée du garagiste, le self-control était une de ses forces. Elle ne montrait jamais ni sa peur, ni trop sa colère ou son anxiété. Elle masquait, et elle masquait bien. Le garagiste était un homme plutôt petit, qui s'exprimait peu, d'une voix fluette. Il regarda Esther avec curiosité. À ma dernière visite j'étais accompagné de sa mère. Les ragots du village n'avaient pas pu lui échapper. À la campagne, à 80 kilomètres de Paris, Sainte-Croix restait un village rural, les Parisiens y étaient rares sinon tout à fait absents. L'affaire, qui avait scandalisé mon milieu, n'avait en apparence créé aucun trouble ici. On me saluait comme avant. La société parisienne, naguère si libérale de mœurs, était devenue moralisatrice et jalouse, mais la campagne et ce village dont le maire appartenait à un parti réputé d'extrême droite ne me faisaient sentir à aucun moment qu'ils réprouvaient le scandale de ma conduite ou mes excentricités. Il était plus facile de vivre par-delà le bien et le mal dans les prés d'Île-de-France qu'à Saint-Germain-des-Prés.

Le jardin du garagiste était meublé d'épaves, un de ces cimetières de voitures qui m'ont toujours fait rêver depuis l'enfance. Ce bon mécanicien exerçait son talent au service des automobiles de collection et des sportives italiennes. Il vivait d'une clientèle d'amateurs qui pratiquaient les courses de bolides anciens. Les épaves de la cour montaient la garde sur l'élite rutilante qui dormait au garage. À droite de l'atelier, sous un if, une Ford Mustang bleu ciel pourrissait lentement. Elle n'était pas là depuis très longtemps, contrairement à l'Alfa Romeo qui finissait de rouiller sous les ronces à côté d'elle. Je m'approchai de la Mustang. J'ai toujours aimé cette voiture un peu vulgaire. Malgré son état et le lichen qui frangeait le caoutchouc du pare-brise, l'épave avait mieux résisté au temps que les jeunes troubadours dont je m'efforçais de raconter l'histoire. Je ne connaissais pas la couleur de la Mustang que Marianne avait achetée en 1965 avec les royalties d'« As Tears Go By », mais Esther m'avait montré la dernière interview qu'elle avait donnée une fois sortie de réanimation. Elle annonçait d'une voix étouffée qu'elle ne pourrait sans doute plus jamais chanter. Andy Oldham avait eu au téléphone une de ses saillies speedées qui faisaient le charme de sa conversation, il m'avait dit : « Le problème, ce n'est pas le crépuscule des années 1960, comme le croient les petits crétins de journalistes, mais c'est que les années 1960 durent encore aujourd'hui. » Moi qui les avais traversées péniblement durant mon adolescence, je n'aurais jamais imaginé que dans plus d'un demi-siècle je vivrais toujours au milieu de tout cela : les Rolling Stones dont j'achetais les 45 tours chez le disquaire Vidal, les Ford Mustang qui valaient au moins dix mille nouveaux francs, une somme qu'il m'aurait été impossible de trouver à l'époque.

Mon garagiste, quoique beaucoup plus jeune que moi, il aurait probablement pu être mon fils, était atteint au plus haut degré de cette manie d'antiquaire. En poussant la porte de son atelier, on avait l'impression d'entrer dans le décor d'un film de Melville. Bizarrement il ne manifestait aucune nostalgie, il avait tout simplement décidé, comme ces teddy boys impeccablement répliqués qu'on pouvait croiser dans les marchés aux puces de Londres, de vivre dans les années 1960, en garagiste poète. Quelle bizarrerie de caractère lui avait fait construire, encore enfant, la maquette de l'endroit où il jouait aujourd'hui ce spectacle de reconstitution qu'était sa vie, au milieu de voitures anciennes soignées comme des Dinky Toys ? Elles me semblaient d'une échelle légèrement inférieure à la réalité, les sportives de l'époque, les GT comme on les appelait, étaient souvent telles les bonnes pâtisseries de petits objets denses et trapus. Les gens d'alors, comme les cadavres pétrifiés de Pompéi, étaient d'une stature inférieure à la population actuelle. Aucun Rolling Stone ne mesurait plus d'1,74 mètre. Ils avaient tous une complexion plutôt chétive, ce qui expliquait que Brian et Keith fissent vestiaire commun avec Anita. Eux auraient su se glisser entre le volant et le siège baquet de l'Alfa Giulietta préparée pour le rallye de Monte-Carlo, si basse et si menue qu'elle aurait presque pu passer entre les longues jambes d'Esther.

Un ding m'annonça que j'avais reçu une vidéo. Un bout d'essai du pseudo-Mick Jagger. Ce garçon avait gagné une émission de télé-crochet au Canada. Certes il avait une grosse bouche, mais tout le monde aujourd'hui a une grosse bouche. Même leur androgynie n'était pas la même, il lui manquait la mauvaise peau, la carnation fragile des adolescents nés pendant la guerre, et surtout le petit cul de singe. Suivirent d'autres prises du groupe. Un seul absent, Brian. Le faux Mick semblait avoir pris modèle sur le chanteur d'Aerosmith. Il était, suivant la mode actuelle, crayonné de tatouages. Sales, verdâtres comme des crachats, les dents tordues, les vrais Rolling Stones n'avaient rien à voir avec ce boys band. Les images étaient censées m'inspirer, elles m'accablèrent. Pourquoi m'acharner à bien faire alors que le résultat m'échappait complètement ? Esther s'efforça de me consoler, elle rêvait d'aller en Espagne avec moi dans cette voiture que le garagiste était allé chercher dans une seconde remise.

Au fond, le malheur était qu'elle avait très envie de vivre et moi plus tellement. Le train d'enfer dans lequel, par peur de m'ennuyer, j'avais mené les dernières années de mon existence, les excès, les violences, une rupture atroce, les drogues, l'alcool m'avaient usé. J'étais aussi fini que Brian quand il s'était embarqué dans la Blue Lena avec une femme qui allait le quitter et un ami qui allait le trahir. Je pris les joues d'Esther dans mes mains et je la regardai dans les yeux comme si j'avais pu y aspirer la vie qui m'échappait. Avec ses longs cils qui étoilaient les globes vitreux, d'un noir brillant émaillé du blanc de ses yeux, elle ressemblait à un bel automate. « Le dernier amour de Don Juan », l'avait surnommée un de mes amis. Au milieu de ce décor de magasin de jouets, je vis durant les quelques secondes que dura cette suspension silencieuse, une de ces poupées vivantes, créatures diaboliques que la sorcellerie juive des ghettos prêta aux plus sombres inspirés du romantisme allemand. « Un agréable suicide », ainsi avais-je décrit Esther juste avant la catastrophe à l'un de mes amis. Et puis, soudain les yeux se ranimèrent et la belle âme revint, le mal n'était qu'un songe.

La BMW datait du début des années 1980, à côté des petites voitures de sport elle avait l'air d'un requin à la peau usée et fendillée. La peinture grise était décolorée par endroits, le capot avant semblait d'une note plus claire que le reste de la carrosserie. Quelques petites bosses, des creux acnéiques, des rayures, des pointes de rouille en bas des portières montraient qu'elle avait beaucoup vécu et lui donnaient ce charme que je trouve aux vieilles machines, aux chemises militaires de surplus et aux armes automatiques. Son compteur annonçait un passif de 180 000 kilomètres, mais le bruit régulier du moteur, la compression intacte, laissaient penser qu'elle pourrait en parcourir encore le double. La sellerie de velours avachie, les moquettes usées, le placage de bois des portières et du tableau de bord déverni, achevèrent de me séduire. Elle n'était pas reluisante mais solide. Une nouvelle amie qui serait probablement la dernière de mes voitures. Après avoir inspecté la malle arrière qui contenait une clé à bougie et une trousse de secours et dont la garniture de tissu était perlée de taches sombres, couleur de rouille ou de sang, je sortis de ma poche un gros rouleau de billets de banque, des coupures de 50 euros serrées par un élastique. J'ai toujours aimé me trimbaler avec de bonnes sommes d'argent sur moi et par-dessus tout acheter mes voitures en cash.

Une fois que nous eûmes franchi le portail avec notre nouvelle amie qu'Esther avait baptisée « Gudule », elle prit ma main droite dans la sienne et la glissa entre ses jambes, elle était trempée. Ma voiture et ma liasse de cash, dont une bonne partie bourrelait encore ma poche, l'avaient excitée. J'aimais cette rudesse un peu vulgaire, genevoise, qui contredisait son apparence chaste et hautaine de princesse orientale. Un petit chemin de terre longeait l'arrière du garage, un bout de terrain où mon garagiste entreposait des épaves encore plus ruinées que celles qui montaient la garde à l'avant de son atelier. Après quelques mètres j'arrêtai la machine dans le sous-bois et me faufilai sous Esther à la place du mort. Ses longues jambes, sa maigreur squelettique et une souplesse de sportive nous permettaient des positions inusitées d'ordinaire pour moi. Après presque soixante ans d'exercice, je m'émerveillais de constater une nouvelle fois l'infinie variété des gestes amoureux. Je m'étais toujours, sans trop le montrer, laissé guider par les femmes. Je n'ai jamais trouvé que le plaisir soit un spasme répétitif. Sans compter que l'âge avait beaucoup modifié ma sensibilité. Je jouissais plus lentement mais avec une force bien plus terrible que dans ma jeunesse. Esther avait un con si frais que j'aurais pu lui arracher la langue ou les oreilles d'un coup de dents quand je sentis monter la semence et le hurlement qui l'accompagnait. Sa fertilité et le fait qu'elle ne prît aucune précaution me rendaient fou.

Le lendemain, à cause d'une dispute d'ivrogne, Esther décida d'aller prendre l'air en Suisse.

Au fond, je savais que j'aurais dû arrêter de boire. L'alcool était le verrou qui, une fois ouvert, m'avait livré à toutes les catastrophes. C'était l'alcool qui me ferait perdre Esther.

Dès que j'étais saoul, je devenais un autre et je me permettais des choses que je n'aurais jamais osé faire à jeun. Les femmes qui avaient partagé ma vie me l'avaient toutes dit un jour, et celles qui ne l'avaient pas fait étaient en général des pochardes ou tout simplement des filles qui se sentaient aussi mal dans ma compagnie que moi dans la leur. À deux ou trois reprises j'ai cessé de boire pendant des périodes plus ou moins longues pouvant aller jusqu'à dix ans. Ces moments ont-ils été plus heureux ? Pas à proprement parler. Ennuyeux mais stables. J'avais réussi à vivre avec des femmes dans des conditions normales. Le défaut de la sobriété était de me rendre prudent. Cela se percevait dans mon écriture.

Alors j'avais toujours recommencé. Lorsque Esther et son musicien étaient venus s'installer chez moi, j'étais dans un pic d'ivrognerie, ce qui ne m'empêchait pas de travailler tous les matins à mon bureau. Je voyais bien que ma belle-fille appréciait ma régularité dans le travail, ma capacité, au sein du plus grand désordre, à conserver mes horaires et mon organisation. Peu importait l'état dans lequel je m'étais mis la veille, l'heure à laquelle j'étais tombé en travers de l'escalier ou du lit les bras en croix avec mes bottes, je me levais à huit heures et j'étais à bureau à neuf heures. Cet aspect de ma personnalité l'avait séduite, surtout associé avec la figure du beau-père, bon, très libre et très ami des excès. Elle aimait ce rituel dans la tragédie, sans doute parce qu'il la rassurait. J'étais la preuve qu'on pouvait arriver à quelque chose en lâchant la bride à ses démons. Étant jalouse de sa mère, elle s'était persuadée que je picolais à cause d'elle.

Depuis que nous vivions ensemble, et surtout depuis qu'elle avait arrêté de se droguer, sa personnalité sérieuse, réfléchie, travailleuse avait pris le dessus. Et je sentais bien que mes excès la dérangeaient maintenant un peu. À 23 ans, jouer l'infirmière d'un vieil ivrogne totalement affolé par l'avenir au point de se saouler au whisky tous les soirs rituellement à partir de six heures – telle était mon heure –, même si c'était drôle sur le papier, commençait à la lasser. Très bien élevée, corsetée par une éducation à la fois juive et protestante, elle n'exprimait pas ses doutes mais le paranoïaque extralucide en moi voyait bien les premières atteintes d'un mal que j'avais pu observer chez d'autres femmes bien avant elle.

J'aurais pu arrêter de boire à cette époque, boucler ce scénario, peut-être retrouver l'envie d'écrire et, qui sait, réussir un bon livre mais j'avais du mal à m'y remettre malgré la commande de l'éditeur. La fêlure était profonde. À 70 ans passés, repartir sur de nouvelles bases, faire un enfant à Esther, payer mes dettes, me réconcilier avec tous les gens qui avaient envie de me tuer ou avec qui j'étais en procès, réparer la toiture ou refaire mes dents, s'avéraient impossibles. Il fallait me montrer réaliste, j'étais fichu. C'était parce que j'étais fichu que j'avais la chance de vivre une dernière aventure flamboyante avec une fille qui, de toute façon, me quitterait un jour, même si je me mettais au thé vert et à la puériculture. Esther n'avait pas envie d'être mère, elle m'avait dit « on ne fait pas un enfant à un enfant », et j'avais eu beau lui répondre « tu n'as pas lu Sade », je savais qu'elle avait raison. J'étais malheureux, mais au fond peut-on avoir une vie amusante et être heureux ?

Alors la nuit pendant mes insomnies, j'avais beau avoir envie de me pendre en la regardant dormir et en pensant aux enfants qu'elle aurait plus tard avec un autre, je me disais que je jouais le seul jeu possible, la fuite en avant.

Plus qu'un devoir, les épisodes de la vie des Rolling Stones sur lesquels je travaillais étaient un passe-temps, une obsession, presque une possession. Pour arriver à rendre avec sincérité l'état moral de mes personnages, je ne pouvais me détacher de leur vision du monde et de leurs excès. Esther était fragile, j'avais fait serment de la préserver ; cette double aspiration créait un dilemme intérieur que je n'arrivais pas toujours à résoudre. Il y avait des éclats. Elle ne se montrait jamais rancunière, et nous nous réconciliâmes deux jours après au téléphone.

Le même soir, le Coréen me demanda si j'avais déjà consommé de l'opium. Cette simple question déclencha une envie brutale. Il dut la percevoir car sans la moindre gêne il me demanda, si jamais j'en trouvais, de lui en apporter sur le tournage en Espagne. Il voulait s'imprégner de l'humeur de l'époque. Sa simplicité virile me plut.

Esther était chez son père à Montreux. Comme tous les soirs j'avais bu seul à Sainte-Croix. Je réussis à convaincre Lena, un transformiste de chez Madame Arthur, de me donner le contact du seul revendeur d'opium à Paris. Tous les opiomanes que je connaissais l'avaient, mais aucun ne voulait le communiquer par peur qu'il se fasse arrêter et que la fontaine se tarisse. Lena, par un effet du hasard objectif elle portait le même nom de guerre que la Bentley de

Keith, se laissa attendrir et m'envoya la fiche contact d'Izmir.

Je ne savais pas si Izmir était un prénom de femme ou un prénom d'homme, je m'arrangeai pour envoyer un message neutre. Il ou elle me répondit aussitôt, nous convînmes d'un rendez-vous pour le lendemain à midi et demi, l'adresse était une rue convenable du quinzième arrondissement, non loin du pont de Grenelle.

Quand je me réveillai dessaoulé, je regrettai mon geste. Je ne voulais rien cacher à Esther, il m'aurait été impossible de lui mentir et en même temps je savais qu'en la faisant goûter à l'opium je risquais de l'entraîner dans des périls plus redoutables que la médiocre cocaïne dont je l'avais fait décrocher.

Il fallait pourtant que j'aille jusqu'au bout, car je sentais que mon travail, ou un dessein plus secret qui œuvrait en dessous du scénario, l'exigeait.

Au petit déjeuner avant de prendre le train, j'ouvris au hasard une biographie de William Burroughs, un gros livre qui me suivait depuis des années sans que je l'aie jamais fini. Je suis un très lent lecteur en anglais et puis j'aimais bien cette compagnie épisodique, un peu comme celle du bon vieux Bill devait l'être dans la vie. Par hasard, je tombai sur un passage qui concernait deux personnes présentes chez Keith le jour de l'arrestation : Fraser et Gibbs. La scène se passait en 1962, cinq ans avant l'opération de police, à peu près à l'époque où les Stones s'étaient formés.

Fraser marchait-il déjà à l'héroïne ? Peut-être, le livre n'en parlait pas. Il décrivait en revanche très bien l'atmosphère, donnant vie à ces deux ombres.

Dans le train, je m'occupai à recopier ce passage dans le petit carnet à spirale que je trimbalais toujours avec moi. L'absence d'Esther me rendait physiquement malade, une douleur diffuse dans la région du diaphragme. Mais la tâche à laquelle je m'astreignis m'aida, mieux que les anxiolytiques, à adoucir ma peine. Par la magie des mots anglais qui exercent sur moi un charme mystérieux.

La scène se passait au printemps ou en été, dans une atmosphère qui évoquait le début du *Portrait de Dorian Gray*. Burroughs était à Londres où il venait de traverser des moments d'ivrognerie assez extravagants avec Anthony Burgess et Lynne, sa femme qui devait mourir de cirrhose en 1968. Pendant les comas de Lynne, en présence de l'auteur d'*Orange mécanique*, Burroughs lisait à voix haute du Jane Austen à la demi-morte… L'essence de l'époque… Qui comprendrait aujourd'hui qu'on puisse lire de la littérature anglaise à une femme en danger de mort, sous l'œil d'un mari complice ? Pourtant j'avais entendu dire que Françoise Sagan, à la fin, prisonnière de sa déchéance et d'une amie plus jalouse que le narrateur de Proust, passa les dernières heures de sa vie à lire des romans anglais.

Je levai les yeux sur le paysage qui défilait derrière le carreau du train. Des étangs, un château, les cimes mouvantes des peupliers sous un ciel bleu pâle. La France éternelle, celle des enluminures et des promenades de Nerval. William Burroughs était-il bon ou méchant, attentif ou absent ? Aujourd'hui, son attitude – lire du Jane Austen à une femme saoule, presque mourante en présence de son mari –, ce flegme, dur et en même temps si délicat, ne passerait plus aux yeux des contemporains. On n'agit plus ainsi avec la désinvolture des grands camés. C'était pourtant la morale de l'époque, celle de Marianne ou d'Anita. Dans ma tâche, le plus difficile était d'arriver à désengager mes personnages de la croûte conventionnelle et tartufe de la société moderne. Durant les sixties on pouvait laisser crever quelqu'un – Brian par exemple – devant soi, à ses pieds sans bouger, c'était même « cool » de ne pas agir. Aucun des intervenants de la série *Satanic Majesties* ne savait ce qu'était le « cool » de ces années-là.

Ensuite le biographe passait à l'évocation de deux figures importantes de la bande de Chelsea, bande à laquelle appartenaient Francis Bacon, Christopher Gibbs et Robert Fraser qui avaient été élèves à Eton ensemble et que Bacon surnommait « *the Belgravia panties* ».

William Burroughs se sentait chez lui dans l'atelier de Christopher Gibbs, Lindsay House at 100 Cheyne Walk, un bâtiment datant du XVIIe siècle. Il restait allongé des heures sur le sofa à fumer le haschisch en regardant la Tamise derrière une grande verrière.

Whistler avait peint plusieurs études de ce point de vue. La pièce était surplombée par un énorme tableau du peintre italien Pordenone, ancienne collection du duc d'Orléans. Autre meuble de taille : un chandelier marocain qui éclairait de mille éclats les tentures de soie et le mobilier oriental. Gibbs était expert en toutes sortes d'antiquités, son esprit orné l'attirait à la fois vers les prestiges des objets orientaux, les délices des maisons de campagne anglaises et les ramifications généalogiques de la noblesse britannique. Il était l'homme qui avait formé le goût de John Paul Getty (futur mari de Talitha Pol (66)). « *Here Bill was at his most refined and anglophile* », concluait le biographe avant de s'attaquer au portrait de Robert Fraser, autre esthète absolu, ancien des King's African Riffles, instructeur du jeune Idi Amin Dada et grand amateur d'Arabes et de chasses sexuelles dangereuses.

Ce monde disparu était la préquelle de l'histoire que j'avais entrepris de scénariser. Après le jeune Getty, le même Gibbs allait former le goût d'Anita Pallenberg. Dans le même atelier qui s'ouvrait sur un jardin à peine décrit par le biographe mais dont l'esprit m'évoqua aussitôt celui du peintre Basil, ami de Lord Henry, cadre de la rencontre entre Dorian et Lord Henry au début du roman *de goût français* d'Oscar Wilde. Les questions relatives à l'influence amicale et à la formation du goût m'ont toujours intéressé. Levant les yeux du livre je laissais de nouveau mon regard errer sur la campagne d'Île-de-France.

La douleur causée par l'absence d'Esther revenait, atténuée par l'idée grandissante comme l'ombre d'un nuage sur les prés là-bas, que rien n'était nouveau sous le soleil. L'influence que j'avais sur Esther et qu'elle recherchait comme mon épaule ou la pression de ma main, se prolongerait bien au-delà du jour qui allait nous séparer à jamais. Cette formation esthétique que je lui donnais, comme je l'avais donnée à d'autres avant elle, m'échauffant sur eux et perfectionnant mon propre goût à leur contact, durerait, se ramifierait et, un jour de juin, remonterait sur quelque être des générations futures, être dont j'ignorais tout, mais que caresserait à son tour ce vent tiède et parfumé de lilas qui caressait la joue de Dorian Gray en 1880, d'Anita Pallenberg en 1967 et celle d'Esther aujourd'hui, demain, après-demain, à l'heure où nous parlerions des choses éternelles, non pas métaphysiques mais belles, belles comme des enfilades de rêves ou les corridors de l'esprit. Une chose n'est pas belle seule, elle est l'écho de milliers d'autres et plus nous connaissons les détails généalogiques de la beauté plus elle nous transperce, nous faisant verser des larmes d'émotion, les mêmes larmes qui coulaient sur le livre ouvert sur mes genoux et qui couleraient peut-être un jour des yeux d'un jeune homme ou d'une jeune fille plusieurs générations après ma mort.

Esther m'avait demandé de lui trouver la correspondance de Valery Larbaud avec son ami Marcel Ray. Malgré mon peu de goût pour le journal de Larbaud que je trouve inférieur au reste de son œuvre, peut-être à cause de sa simplicité, elle y trouvait plaisir et inspiration, je n'avais rien à redire. Il y était beaucoup question dans le journal d'un certain Marcel et elle voulait le connaître mieux. J'allai à la librairie Gallimard en taxi et lui achetai les trois volumes, toujours disponibles, ce qui prouvait qu'Esther était une des rares personnes avec quelques chercheurs à s'y intéresser. Je gardai le taxi pour me conduire chez Izmir. Je m'aperçus que j'avais au moins une heure d'avance. Le soleil baignait les façades parisiennes et les trottoirs déserts, nous étions un samedi et tout le monde avait fui cette ville sans cafés, aux vitrines fermées et aux passants masqués comme des infirmières d'un service gérontologique. La douleur avait recommencé, mon état s'aggravait à mesure que la voiture s'enfonçait dans les rues du quinzième arrondissement. Elle devenait si puissante que je craignais de faire un malaise. Le seul point de comparaison que j'avais trouvé dans ma mémoire était les angoisses que je ressentais enfant, à être séparé de ma mère. Jamais depuis je n'avais souffert comme ça. De son côté, Esther m'affirmait par sms ressentir la même chose. Le crime qui nous avait réunis avait suturé notre dépendance.

Arrivé à destination, je m'assis sur un banc le long

d'une avenue plantée d'arbres qui me rappelait des souvenirs lointains sans que je puisse ou veuille y mettre un nom. J'avais une heure d'avance, j'étais incapable de marcher, rester debout réclamait toute ma volonté. Était-ce donc cela, la vie ? Courir le monde, s'endurcir, se croire à l'abri des terreurs enfantines, le regretter parfois et puis y retomber sans crier gare ? J'avais laissé un message à Izmir pour lui demander si je pouvais lui rendre visite avec un peu d'avance. J'adoptais avec tous les revendeurs de drogues un style empreint de courtoisie, je les traitais tous, même les pires rebuts des cités, avec les précautions et les grâces dont on userait pour une vieille parente de province. Ce n'était pas de l'humour, mais une distance aristocratique qui leur plaisait, surtout parce qu'elle sortait de l'ordinaire. Les Arabes, nombreux dans cette profession, pratiquant le commerce depuis des temps reculés, ne dédaignent pas d'y mêler de l'affection ; la courtoisie, qu'ils considèrent avec plus de finesse que les voyous barbares venus d'Europe centrale, en est une marque à leurs yeux.

Mon téléphone vibra, il affichait un numéro que je ne connaissais pas, je décrochai pensant qu'Izmir possédait peut-être plusieurs portables, une voix de femme, un peu molle, bourgeoise, au tutoiement vorace très « cinoche », m'apprit que j'avais affaire à ma voisine de campagne, la fameuse décoratrice qui ne s'appelait pas Bérangère mais Ségolène.

Ségo était le genre de personne qui, n'ayant rien

à dire ou ne voulant pas faire l'effort de réfléchir, vous laissait parler, ménageant des silences si lourds qu'ils en devenaient réprobateurs. Une manipulation classique dans ce cinéma français où des rejetons de la bourgeoisie et de la petite noblesse faisaient leur boulot, avec méticulosité, sans génie, sans folie, sans grandeur. Ségo était d'une génération antérieure à mes deux producteurs, elle approchait de la retraite, avait travaillé toute sa vie avec des fabricants médiocres et n'avait pas l'intention de se *défoncer*, au sens où elle l'employait, pour une mini-série sur les Rolling Stones, qu'elle considérait comme des *vieilles lunes*. Elle m'avoua sans la moindre gêne qu'elle ne savait pas qui était ce Christopher Gibbs et sa manière de me le dire me montrait qu'elle n'avait pas envie d'en apprendre davantage ni surtout de s'en laisser conter par moi. Je lui raccrochai au nez quand je vis le numéro d'Izmir apparaître en attente. Avec Ségo, on aurait bien le temps de partager du pain complet et du miel artisanal autour d'une tasse de thé dans son antre qui se trouvait à quelques kilomètres de chez moi.

Izmir était une femme, à sa voix aux modulations orientales typiques des Iraniennes, à la fois lasse et coquette, elle ne devait pas avoir loin de mon âge.

Elle habitait au 22 où je devais sonner chez madame Naouri.

Au moment où j'arrivai devant la porte d'un petit immeuble qui ressemblait à des milliers d'autres petits immeubles de rapport construits à Paris au début du siècle dernier, un petit immeuble vraiment si banal qu'on aurait dit qu'il avait été choisi volontairement pour abriter un commerce illicite d'une rareté telle qu'il m'avait fallu des années pour obtenir cette adresse, à ce moment précis où culminaient la mauvaise conscience et une certaine vague vieille excitation de camé qui surnageait dans mon malaise physique, une femme de 30 ans, d'allure aussi banale que l'immeuble, voilée derrière un masque en tissu représentant des dinosaures de couleurs variées, avait entrepris de faire passer sa poussette entre les montants de la porte. Une porte étroite, évidemment, à la mesure de l'immeuble, et lourde comme le sont les huisseries du début du siècle dernier. Les progrès scientifiques en matière de procréation assistée n'ont pas encore réussi à éviter la multiplication de jumeaux et donc l'invasion des poussettes à deux places. Selon les goûts et l'orgueil des parents, les poussettes disposent leurs sièges à la queue leu leu ou dans un esprit plus moderne et arrogant, côte à côte. J'avais affaire à une femme modeste et la poussette était à l'ancienne, mais sa longueur rendait le passage de la porte difficile. Sans attendre qu'on me demandât du secours, je me baissai et tirai légèrement sur les roulettes avant afin d'accélérer le mouvement. J'aurais mieux fait de tenir la porte et de laisser la dame se débrouiller toute seule avec sa progéniture et son engin, mais j'étais dans ces jours où la volonté de se punir dérange le sens pratique.

Les lecteurs de Colette et les amateurs de *La fin de Chéri*, qui est un de mes romans préférés, se rappellent peut-être que dans les dernières pages du livre, quelques minutes avant son suicide, Chéri s'assied sur un banc public du même genre que celui sur lequel je me tenais un peu plus tôt. Surgit non loin de ses pieds un enfant bizarre, avec une expression de visage ahurie, déplaisante. J'imagine le même genre de monstre que celui qu'a représenté le peintre Richard Dadd au XIXe siècle, alors qu'il peignait à l'asile de fou après avoir assassiné son père, ou alors certains petits gnomes de Balthus ou encore les grosses faces à joues fardées des gosses sur les publicités de 1920. L'échange entre l'ancien beau flétri par le *taedium vitae* et le garçonnet, échange qui ne tient que dans le regard ahuri, stupide de l'enfant, est une des pages les plus cruelles qu'on ait écrites sur la douleur de vivre, le dégoût du monde, ou plutôt le sentiment d'étrangeté au monde qui annonce le suicide. La dernière confrontation avec le réel sous la forme d'un enfant ingrat.

Ce visage, je l'ai eu ce jour-là en face de moi. Je compris que tout le malaise qui avait précédé n'était qu'une prémonition de ce moment. En plus l'enfant était double et le second semblait une étude du même sous un autre angle. La tête me tournait, je crus à une attaque. Je ne me souviens pas d'avoir vu la femme au masque orné de dinosaures de toutes les couleurs passer devant moi. Je me souviens du vernis craquelé de la porte sous ma paume et de la sensation d'extrême détresse de l'homme nu, dépouillé de toutes ses possessions, de tout espoir et même de tout amour, qui va s'étendre sur le trottoir de la ville et crever par terre entre les chatons marronnasses tombés des pauvres arbres, une tache de pipi de chien et un vieux billet de loterie.

Combien dura mon étourdissement ? Je ne le sais pas. Dans la confusion, je dus réussir à sonner à l'interphone car une porte s'ouvrit sur le palier du rez-de-chaussée et je me souviens vaguement avoir vu apparaître une petite femme dans ce que je pris pour une loge de concierge mais qui était l'appartement d'Izmir ou de madame Naouri dont je ne savais pas si c'était la même personne.

À peine avais-je mis un pied dans la place que je me sentis mieux. J'étais pris d'une sorte d'euphorie inquiétante, reflux sanguin ou excitation maniaque, un phénomène que j'avais déjà observé récemment et qui confirmait la dégradation de mon système nerveux. Il n'y avait rien dans l'appartement d'Izmir qui puisse me mettre en joie. Bizarrement, à part la télévision à écran plat posée sur un buffet de bois sombre, une sorte de canapé ou de clic-clac, je ne me souviens de rien de précis. Peut-être un petit tapis accroché au mur suivant le goût persan mais je n'en suis pas sûr. Des stores en pvc étaient baissés et la lumière devait venir d'une lampe mais je ne saurais pas décider si c'était un plafonnier ou un de ces halogènes sur pied doré ou blanc qu'on rencontre souvent sur les trottoirs, abandonnés par leur propriétaire. Le visage d'Izmir reste aussi indiscernable dans ma mémoire que son mobilier. Elle était petite, sans âge, probablement liftée et avait le type classique d'une Iranienne exilée. J'en ai connu plusieurs et elles possédaient toutes en commun un curieux charme, un peu étouffant, conséquence d'une vie rangée, passée dans la claustration d'un intérieur sans joie, une vie seulement rythmée par l'obligation de faire une ou deux courses par jour, en général dans un quartier tranquille, éloigné du centre. C'étaient souvent des personnes issues de classes élevées dont les parents avaient été plus ou moins affiliés à la famille du Shah ou à son gouvernement. L'exil, commencé à la révolution islamique, les avait installées dans une vie de campement provisoire, avec des conditions de confort douillet dues à leur aisance financière, puis les années passant, et le retour devenu un mirage impossible, elles s'étaient laissé enfermer dans une mélancolie paresseuse et bornée, ne se fréquentant qu'entre elles, de moins en moins à mesure que la mort ou des dépressions plus graves éclaircissaient leurs rangs. Izmir était de cette génération qui avait passé les plus belles années de la jeunesse à Téhéran et s'était retrouvée vers 25 ans à devoir refaire sa vie à l'étranger. Comment avait-elle fini quarante ans plus tard vendeuse d'opium dans le quinzième arrondissement ? Quelles avaient été les étapes, non de sa déchéance, mais d'une dérive qui l'avait conduite ici, non loin de la Seine, dans ce tout petit appartement sans vie, sans enfants et, dans ma mémoire, presque sans meubles ? J'imaginai des ventes immobilières successives allant vers un rétrécissement de plus en plus strict. L'opium y était peut-être pour quelque chose, mais rien de sûr. Nous arrivions tous deux à un âge où les jeux étant faits depuis longtemps, on peut se contenter d'un quotidien étriqué, égoïste, sans chercher trop à s'en raconter l'un à l'autre. Ma grande taille, ma bonne humeur, la place que j'occupais soudain dans son appartement ne semblaient pas déplaire à Izmir qui usa avec moi, tout de suite, de ces manières sucrées et onctueuses que les femmes de sa civilisation réservent aux hommes. Il devait y avoir un miroir, ou était-ce la vitre de la fenêtre devant l'écran du store, je vis mon reflet, j'avais vraiment l'air terrible. Un capitaine Achab qui aurait vendu son bateau pour boire et adopté lui-même la forme du cachalot. Je portais ce jour le plus sale de mes cache-poussière, un énorme truc kaki à col en cuir lustré de graisse humaine, qui descendait jusqu'à mi-mollet, mes bottes de l'armée allemande taille 45 toutes craquelées, et je devais découvrir plus tard dans le taxi de retour une belle auréole de vin rouge sur le col de ma chemise blanche dans laquelle j'avais dormi la veille. Le tout couronné par une barbe poivre et sel mal taillée et une tignasse de clochard collée à la cire sur le haut du crâne et sur les ailes des tempes mais qui tombait en frisottis jusque sous la nuque.

Mon ami Lena avait dû faire un portrait moral bien flatteur pour qu'Izmir acceptât de m'accueillir dans son cagibi. Un peu étonnée au premier regard, elle sembla vite apprécier ma présence, toute considération mercantile mise à part. Il est vrai que sous une apparence cabossée, j'avais belle allure. On ne me donnait pas toujours mes 71 ans, le visage régulier entre les poils, la stature martiale et une bonhomie pleine de simplicité mêlée au reste d'une éducation à l'ancienne, sans compter mes grands pieds et mes mains puissantes prometteuses de certaines voluptés plaisaient aux femmes, surtout aux Orientales d'1,50 mètre d'une soixantaine d'années.

Comme on aurait dit dans les années 1970, à l'âge où nous avions encore l'un et l'autre de belles espérances, Izmir et moi nous trouvâmes tout de suite sur la même longueur d'onde.

Cela ne l'empêcha pas de m'estamper sur le prix du gramme d'opium, au lieu des 130 euros annoncés imprudemment par mon transformiste, elle me céda ce qui ressemblait à un morceau de shit dur et très foncé contre la somme astronomique de 180 euros. Moi qui suis un as de la négociation de contrat et qui, avant d'avoir un agent, goûtais un réel plaisir à ces marchandages pourvu que les sommes en jeu soient assez importantes pour m'amuser, je peux me montrer d'une grande faiblesse dès qu'on me prend de court. J'ai du mal à rechigner sur un aussi petit montant, surtout annoncé d'une voix ferme par une femme. Au lieu de protester, je sortis l'argent et la payai. Je ne supporte pas la mesquinerie et je m'en serais voulu de laisser voir à Izmir que je la soupçonnais de malhonnêteté. Peut-être que comme tous les dealers, elle pratiquait un tarif dégressif à mesure que la quantité était plus importante. J'aurais dû lui poser au moins la question mais je ne le fis pas, j'étais trop avide d'acheter pour la première fois de l'opium et j'avais peur qu'on me le retire et qu'on me mette dehors les mains vides. Un sentiment aussi enfantin justifia que je ne dissimule pas ma naïveté, j'en rajoutai même un peu par malice pour éveiller chez ma nouvelle amie le regret de ne pas m'avoir réclamé encore plus d'argent. Je lui dis que je n'avais jamais pris d'opium et lui demandai comment il fallait s'en servir. Je ne mentais qu'à moitié. J'en avais toujours consommé avec des gens qui le préparaient pour moi. Elle écarquilla les yeux. Le transformiste avait dû lui annoncer un genre de Thomas De Quincey ou de Baudelaire moderne, elle ne pouvait pas croire à ma virginité.

— Suzi elle le mange, moi je le fume dans une pipe avec un charbon et Lili elle fait dragon chasing sur une feuille d'aluminium.

— Suzi le mange ?

— Oui je t'assure, elle le mange. Mais pas trop à la fois hein. Il ne faut pas en prendre tous les jours non plus. Moi je fume une petite pipe de temps en temps pour me détendre. Attention, mange pas tout d'un coup sinon ton cœur explose...

Suzi... Voilà un moment que je n'avais pas entendu parler d'elle. Elle aurait pu faire un meilleur conseiller artistique que moi pour les *Satanic Majesties*. Une ancienne groupie allemande des années 1960-1970 devenue call-girl, puis l'âge venu entremetteuse. Bonne cuisinière. Elle vivait dans le quinzième arrondissement elle aussi, mais dans un appartement beaucoup plus grand que la pauvre Izmir. J'aurais bien voulu la revoir pour lui soutirer des renseignements précis à propos des Rolling Stones qu'elle avait fréquentés après le tournage de *Barbarella* (où elle jouait un caméo aux côtés de sa copine d'enfance Anita Pallenberg) et notamment d'une *party* chez une amie à elle à Londres qui devait faire l'objet d'une réunion Face Time cette après-midi.

Dans le taxi de retour, j'essayai de me rappeler le nom d'une héritière américaine, protectrice des artistes et surtout des homosexuels, dont Suzi m'avait parlé jadis, une Rockefeller mais tel n'était pas son nom. Elle vivait au Dakota, à New York, dans un appartement de huit pièces bondé de parasites. Puis elle avait migré à Londres où elle louait une maison encore plus fastueuse, qui s'était remplie très vite des mêmes parasites, enrichis de quelques nouveaux spécimens. Elle avait donné une grande fête en juillet 1967, juste après le procès des Stones. La première que Groovy Bob Fraser ait ratée depuis longtemps, étant en prison. C'était là que Mick Jagger et Marianne Faithfull avaient rencontré William Burroughs pour la première fois. L'héritière Rockefeller voulait absolument coucher avec l'auteur du *Festin nu*, qui évitait toujours de se trouver seul dans la même pièce qu'elle. Une bagarre avait éclaté entre un poète et un Black Panther. C'est Burroughs qui avait ouvert à la police puis avait mis dehors six flics.

J'avais dû écourter ma visite à Izmir pour aller prendre le train. J'avais mon Face Time à 15 h 30 avec l'équipe du film. Ordre du jour : les *parties* et autres orgies. Il fallait que je regarde le dernier bout d'essai que les petits producteurs m'avaient envoyé, celui du faux Brian Jones. Je reculais ce moment pénible. Ouvrant mon carnet je tombai sur ça : « C'est à Bahia que j'ai lu pour la première fois *Le Festin nu*. Mon entourage vouait un culte à William Burroughs. Nous étions tous les enfants de Burroughs. Là j'ai eu une révélation. J'allais devenir une camée. Non pas une camée chic, comme Robert, qui se faisait de petites lignes de coke sur d'élégantes tables miroirs, mais une camée des rues. J'avais trouvé ma voie. » Marianne Faithfull, *Faithfull*, p. 135.

Voilà qui étayait ma théorie selon laquelle la

déchéance de Marianne, qui se retrouva clocharde à peu près au moment où Mick épousait Bianca à Saint-Tropez, était un effet de son caprice, non de sa faiblesse. Interdite de procès, infantilisée par les avocats de Mick et Keith, salie par la presse, rabaissée au rang de groupie, elle *décida*, alors qu'elle était en pleine lune de miel avec Jagger, de devenir junkie et ceci un an avant la mort de Brian Jones. Difficile de faire comprendre aux deux gérants de Viva Film que la drogue n'était pas pour elle une faillite de la volonté mais son triomphe. Une vocation. Forfanterie ? Sûrement, Groovy Bob, le « Robert », camé mondain dont il était question, était en prison pendant qu'elle lisait Burroughs à Bahia. Jalousie ? Peut-être cette personne complexe devait-elle être un peu jalouse d'un gay tombé en geôle comme Oscar Wilde, mais pour détention d'héroïne. Byronisme. Marianne était bien plus révoltée que Mick, du fait de ses origines sociales et de ses parents, deux excentriques incompatibles. Sa relation avec Eva, sa mère, n'allait cesser de se resserrer au fur et à mesure de sa déchéance. Un épisode m'était resté en tête. Eva, généreuse et fofolle, travaillait comme professeur dans un collège pour enfants inadaptés à l'époque de l'arrestation de sa fille. Honteuse des articles parus dans la presse, elle n'avait plus osé se présenter à son poste. Marianne découvrit après sa mort dans les papiers de sa mère les lettres du directeur qui cherchait à la rattraper. De manière générale, les Rolling Stones étaient proches de leurs parents. Au moment de partir avec Anita et Brian pour la descente en Bentley jusqu'au Maroc, Keith écrivit aussi à sa mère pour la rassurer. Je n'avais pas d'information sur la famille d'Anita, qui semblait plus distante ou plus dure.

Le numéro d'Esther s'afficha sur mon téléphone. J'hésitai à la rappeler du train mais je ne pus m'empêcher de décrocher. D'une voix rassurante et joyeuse, je lui parlai de Larbaud et seulement de Larbaud. L'opium faisait une bosse dans la poche de mon jean, que je caressais mécaniquement en lui parlant. Pourquoi voulais-je la préserver ? Esther était attirée par les dérèglements autant que Marianne. Esther était liée à son père, un financier genevois, par une relation trouble que notre liaison n'avait fait qu'embrouiller davantage. J'étais un homme de 2021 et non une gamine de 1967. Un peu comme mes producteurs, je menais au fond une vie assez prudente et je ne voulais pas que la petite finisse sur le trottoir, un de ses fantasmes récurrents. Il n'était pas question de lui mentir non plus, je lui avouerais ma visite à Izmir mais lorsqu'elle serait rentrée. La vraie raison, je finis par la trouver alors que la douleur remontait après que j'eus raccroché : j'avais tant peur qu'elle me quitte que je ne voulais pas la laisser partir en dérive, et puis sûrement l'amour maternel, si profond, que j'avais pour elle exigeait que je la rende le plus heureuse possible afin que sa vie future fût bonne.

J'eus un moment de panique sur le parking de la gare en descendant du train. Je cherchais ma Renault avant de me rappeler que j'avais changé de voiture. Gudule, la BMW que je découvris rangée derrière une camionnette, me semblait soudain un objet tout à fait étrange. Depuis quelque temps, les nouveautés mettaient un certain délai, plus long qu'autrefois, à me devenir familières. Cela participait d'une angoisse générale, j'arrivais moins bien qu'avant à m'accaparer les acquisitions récentes ou même les nouveaux visages qui m'entouraient. Le phénomène que j'ai rapporté à propos d'Izmir n'était que l'exaspération d'un état plus général. Le visage d'Esther pourtant si typé, si rare que j'aurais pu le dessiner dans mon esprit avec la précision d'Ingres, je le regardais certaines nuits ou le matin au réveil avec l'effroi de celui qui s'est endormi saoul avec une partenaire de hasard et qui découvre sa présence dans les brumes de l'insomnie alcoolique. La touffe sombre de ses cheveux frisés posée sur l'oreiller comme une pelote de laine suffisait même sans que rien d'autre d'elle apparaisse – Esther dormait emmaillotée telle une longue momie les yeux bandés d'un foulard de soie – cette pelote oubliée par les Parques sur l'oreiller de ma femme, sa mère, le fantôme de Cora la blonde hantait mes nuits et sûrement mes rêves – cette pelote me glaçait quelques secondes à la manière d'un objet d'envoûtement. L'anglicisme « réaliser » s'appliquait bien à mon état, j'arrivais de moins en moins bien à *réaliser*. Macbeth devait avoir ce genre de tourment. Le capot à l'ovale caractéristique, en museau de squale de la 748i, griffe que l'objet portait à l'arrière, les quatre phares ronds à quoi s'ajoutaient deux petites optiques de longues distances prenaient par leur beauté même une allure sinistre. Gudule semblait me dire : « Je t'appartiendrai si peu de temps que tu n'es pas *réellement* mon propriétaire, approche-toi de moi, pénètre à ton aise dans mon habitacle, enfonce ta clé dans mon cœur, jouis de ma puissance mais je te resterai toujours étrangère. Tu n'auras pas avec moi les rapports simples et familiers que tu entretenais avec la petite Renault, oui je vrombirai sous ton pied, j'obéirai à tes mains, je freinerai à ton ordre mais je resterai à jamais la voiture d'un autre. Un cheval volé à l'écurie infernale et qui repartira après que la tempête finale qui couve au large de Gibraltar t'aura foudroyé. »

J'avais une raison supplémentaire d'être secoué. J'avais regardé pendant le voyage la vidéo de Brian Jones. À ma grande surprise, le jeune acteur était extraordinaire, plus vrai que le vrai. Habité par le diable. Il aurait fallu abandonner toute ambition de raconter le reste pour se consacrer à lui seul. Un nabot génial de 23 ans. Par sa seule présence, il justifiait mon travail. J'avais transféré le bout d'essai à Esther qui m'avait répondu « Wahou ». Le petit blond jouait « Ruby Tuesday » à la guitare électrique. Puis il s'adressait à quelqu'un hors champ et en quelques secondes magiques il faisait revivre les vieilles majestés. Grâce à lui, j'avais de nouveau le sentiment que je pourrais servir à quelque chose, que ce que j'accomplissais en ce moment n'était pas tout à fait inutile. J'avais eu raison de donner comme titre de travail au troisième épisode « Brian » après « Marianne » et « Anita ».

Esther rentra de Suisse le lendemain. Ce jour-là, elle portait un foulard en turban, de longs pendants d'oreilles, une tunique indienne rose poudré brodée de blanc et de très hautes espadrilles compensées lacées de rubans sur les mollets. Il me sembla qu'elle avait encore maigri. J'aime les femmes très grandes et très minces, aux hanches d'enfant, une petite tête sur un long cou et de grands yeux, jamais personne n'avait correspondu à ce point à mon idéal. Elle était à son meilleur, l'éclat de son sourire, la joie vraie de me retrouver, la manière qu'elle eut de se jeter dans mes bras, le contact de ses os sous mes doigts, la fraîcheur de sa bouche, j'en jouissais comme si c'était la dernière fois. Elle me dit : « Ce n'est pas possible d'être heureux à ce point » et je lui répondis : « Non ce n'est pas possible. » Et puis elle rit de ce rire dont la jeunesse est prodigue et qui disparaît vers 30 ans. À peine assise dans la voiture, elle me parla de Valery Larbaud et d'une nouvelle qu'elle relisait sans se lasser dont le titre est, si ma mémoire est bonne : *Portrait d'Éliane à 14 ans.* Elle aimait Larbaud à cause d'une affinité particulière qu'elle partageait avec lui pour les petites filles. Non un goût pervers mais une communauté d'essence. Elle avait plusieurs amies âgées de 12 ou 13 ans avec lesquelles elle correspondait par Instagram. Elle leur donnait des conseils, leur envoyait des cadeaux, partageait leur goût pour des chanteuses à la mode comme Dua Lipa ou Billie Eilish. Les petites filles l'admiraient à cause de son métier de modèle.

« Je suis tellement contente, j'ai été retenue pour le shoot de Paolo Roversi. » Je lui demandai quand avait lieu la séance photo, inquiet qu'elle repousse notre départ en Espagne. Mais tout semblait s'arranger parfaitement, les photographies étaient prévues pour la veille de notre départ. J'étais heureux pour elle. Elle me demanda des nouvelles de mon scénario. J'avais très bien travaillé ce matin-là et j'étais de très bonne humeur, entre autres parce que j'avais réussi à court-circuiter les deux ânes de Viva Film, grâce à des échanges répétés avec le réalisateur coréen. Depuis que je lui avais raconté ma visite chez Izmir, c'était lui qui insistait pour que je le rejoigne en Andalousie où il faisait des repérages. Il voulait que nous collaborions plus étroitement à la conception de certaines scènes, une manière pour moi d'arriver à mes fins et de passer d'un simple boulot de scénariste à un rôle plus artistique.

Restait le problème des acteurs. Depuis que le vrai Brian Jones était apparu, le faux Mick Jagger paraissait encore plus mauvais. Charlie et Bill se montraient crédibles dans des rôles de second plan. Restait Keith qui pouvait peut-être s'améliorer. Une nouvelle Anita qui avait joué Nathalie Delon en brune dans un biopic d'Alain Delon était passable en blonde, Marianne ressemblait toujours à France Gall mais c'était une meilleure actrice et avec un effort de l'opérateur et de la maquilleuse elle pourrait arriver à donner le change.

Depuis quelques années, le soleil est devenu plus chaud qu'avant. En cette fin d'été la canicule était tombée sur la France et une partie de l'Europe. Comme il avait beaucoup plu au printemps, mon jardin de Sainte-Croix était une jungle au milieu de laquelle la maison ressemblait plus que jamais à la cabane de Robinson. Et voilà qu'Esther, redescendue de notre chambre à demi nue, maigrissime, elle avait encore perdu du poids chez son père, me reparlait des animaux qu'elle rêvait d'installer dans le jardin. Une autruche qu'elle voulait baptiser « Soretozza » en hommage à une amie de Babar, un lama, un âne, un cochon et je ne sais quoi d'autre. Je l'écoutais patiemment sans pourtant l'encourager ou donner des réponses précises, ce qui la fâchait contre moi sans qu'elle en laisse rien paraître. Je la connaissais… à une certaine brillance de ses yeux, à la croche de son nez, à sa manière d'éviter mon contact quand j'essayai de l'attraper par la taille, je devinai qu'elle se renfrognait. L'achat d'une autruche ou d'un lama ne me semblait pas de première nécessité, d'autant que la maison tombait en ruine et que j'allais probablement bientôt mourir. Il y avait des choses plus urgentes comme par exemple préparer les bagages pour la grande descente en Espagne ou honorer ma téléconférence quotidienne avec le Coréen.

Esther savait se montrer intraitable. Elle était capable d'une passivité extraordinairement hostile dès qu'on lui suggérait une occupation. Aussitôt que je prononçai le mot « bagages » elle disparut, et je me doutais que je n'entendrais plus parler d'elle jusqu'au soir. Effondré dans un fauteuil, transpirant sous ma chemisette militaire, je laissai tomber mes chaussures que je portais en savates, un style emprunté à Hemingway, à qui j'avais aussi piqué sous cette température africaine la barbe en broussaille, le short douteux et l'œil méchant d'alcoolique. Je suivais les évolutions d'une grosse mouche à viande avec une attention qui procédait plus de la pétrification paresseuse que d'une quelconque pensée logique. L'expression « regarder les mouches voler » avait pris chez moi une formidable réalité. À un moment, sans raison particulière, je lâchai la mouche pour mes pieds. Mes orteils étaient devenus difficiles à atteindre depuis que j'avais pris du ventre et que ma colonne vertébrale s'était calcifiée, comme j'avais toujours ignoré les pédicures ou les podologues, mes ongles ressemblaient à des griffes jaunâtres greffées sur le gingembre poilu de mes orteils. Je me demandais comment une jeune fille pouvait supporter un tel contact. Méditation mi-sadique mi-mélancolique qui dura un moment, le temps de laisser gonfler mon sexe dans mon short, et puis de passer à autre chose quand il commença à flapir. Brian, il fallait rajouter des scènes à Brian, c'était lui le vrai sujet du film. Son agonie avait duré des premiers jours de 1967 jusqu'à sa mort en juillet 1969. Un peu plus tard, je pourrais le faire revenir sans avoir à user d'un flash-back. Une scène merveilleuse que je ressassais depuis le début, le suicide de Marianne au Hilton de Sydney en 1969, les cent cinquante Tuinal, Brian lui apparaissant comme la fée du Nord par le carreau du building. Je ne me rappelai plus si elle avait couché ou non avec lui de son vivant. Je croyais me souvenir qu'il lui avait touché les seins dans l'atelier d'Anita fin 66, au moment de la mort accidentelle de Tara Browne. Tara, un proche de Brian, un des héritiers Guinness, s'était tué en voiture dans les rues de Londres. Il était défoncé. À ses côtés Suki Potier, indemne ; elle allait remplacer Anita dans le lit de Brian juste avant la fin. L'appel de la mort passe souvent par des messagères. Ce soir-là, peu de jours après la mort de Tara, Brian et Marianne avaient essayé de baiser mais sans résultat, d'après Marianne, Brian était si faible, « incroyablement faible », disait-elle dans les notes de mon carnet, qu'il était incapable de faire l'amour ; d'où peut-être les orgies incessantes. Un empereur romain de la décadence, un dégénéré agressif et violent qui battait les femmes parce qu'il n'arrivait pas à les baiser. Voilà Brian Jones. Anita devait aimer cela. Une question me taraudait : l'avait-elle envoûté ?

Mon ami Pierre, qui savait toujours tout sur tout le monde, m'avait donné une information à propos du Coréen. Il était rosicrucien. Ce qui indiquait un penchant pour le mysticisme qui pourrait aider mes plans. Dans ses Mémoires, Marianne évoquait les lectures qui les passionnaient, des grimoires de magie, le satanisme et tout le bazar ésotérique hippie. Les plus investis dans ces recherches étaient Anita, Marianne et dans une moindre mesure Brian, plus instinctif que cérébral. Mick aussi, sous l'influence de sa compagne, avait pris goût au satanisme. Superficiellement. La chanson « Sympathy for the Devil » était inspirée par *Le Maître et Marguerite.* Question de mode évidemment mais aussi, plus profondément, les phénomènes déchaînés par les Stones lorsqu'ils se produisaient sur scène troublaient le chanteur sur lequel se focalisait le faisceau des forces. Le pouvoir obscur de la foule explique le délire sacrificiel qui poussa les pop stars de l'époque vers le diable et la mort. Entre 67 et 71 le vieux satanisme d'Aleister Crowley connut son apogée. Crowley était Rose-Croix, avant de se révolter et de créer sa propre église. Il me semblait qu'Anita, peut-être sous l'influence de Kenneth Anger, s'était fait initier. Deux de mes livres au moins évoquaient ces questions, toutefois mes connaissances étaient défraîchies. J'avais demandé à Esther de faire des recherches. J'avais sous les yeux des notes écrites de sa petite écriture méticuleuse. Les pattes de mouche couraient sur toute une feuille jaunie, elle utilisait des papiers de récupération arrachés à des cahiers d'écolier, et parfois même des pages de garde en papier fromage de livres de poche des années 1960. Là, c'était *Le Prince* de Machiavel qui avait fait don de sa personne ainsi qu'une vieille feuille de papier pelure jaunasse, aux bordures tachetées d'eau, qu'elle avait épinglée avec une aiguille de couturière. Pour déchiffrer ses notes, j'avais besoin de mes lunettes, je ne les avais pas vues depuis un moment. Je décidai de me servir un verre afin de me donner du courage. Le temps de remettre mes savates et de m'extraire de mon fauteuil, je me dirigeai en titubant vers la cuisine, en ce moment je souffrais de vertiges, de lombalgie et d'un rhumatisme articulaire au genou. Les maux tournaient autour de moi en changeant d'apparence tels les huissiers et les démons. La chance voulut qu'en allant chercher des glaçons je retrouve mes Ray-Ban dans le compartiment à glace du réfrigérateur. Je devais être dans un bel état quand je les avais oubliées là. Chaque matin je me réveillais sans aucun souvenir de la veille au soir. L'alcool et les pilules anxiolytiques créaient un phénomène de black-out quotidien dont j'avais cessé de m'étonner depuis longtemps. Restaient des degrés et la soirée de la veille m'avait paru, quand j'étais tombé du lit vers dix heures, particulièrement carabinée. Tout me revint d'un coup. Hier soir j'avais mastiqué un fragment d'opium. Cette chose dure et amère s'était révélée plus forte que tout ce que j'avais pu ingurgiter depuis l'adolescence. Perte d'équilibre, hallucinations, étrange béatitude... Un vrai parc d'attractions spirituel. J'avais de la chance de ne pas m'être cassé la figure tout seul dans ma campagne. L'opium coupait-il les moyens ? Pas dans les premiers temps en tout cas. Je m'étais branlé et j'avais joui. Puis la béatitude s'était rapidement transformée en un vague flottement, comme si j'avais avalé trop de Valium. Regardé en VHS le début de *L'Exorciste 2* jusqu'à cinq heures du matin. Le rythme du film de John Boorman allait plutôt bien avec cet état cotonneux. Rien de fameux, possible que cette drogue ne soit plus adaptée aux temps modernes. Je la garderais pour le Coréen, ce qui m'éviterait d'en parler à Esther.

La première page de notes concernait l'ordre de la Rose-Croix fondé à la fin du XVIIIe siècle à Bordeaux et les curieuses cérémonies qui préparent l'initié à la visite de la « Chose », l'entité censée permettre la réintégration de l'homme ordinaire à l'état adamique.

Je m'étais déjà intéressé aux rosicruciens, chapelle maçonnique qui se réclamait d'un mystérieux ordre de chevalerie allemand, en préparant une conférence que j'avais donnée autrefois à l'Alliance française de Bâle. J'y avais parlé de l'éviction d'Aleister Crowley de la loge Rose-Croix anglaise « Golden Dawn » par le poète irlandais Yeats. Ce complot et l'élimination de Crowley marquaient le début du satanisme moderne, celui de Kenneth Anger et d'Anita Pallenberg. Je tombai bien vite sur de vieilles connaissances en parcourant les noms des illuminés refondateurs de l'ordre : Martinès de Pasqually, Jean-Baptiste Willermoz et Louis-Claude de Saint-Martin, alias « le Philosophe inconnu », dessinaient des figures familières qui s'étaient effacées petit à petit dans les brumes de ma mémoire.

D'après les pattes de mouche d'Esther, il n'existait aucun portrait de Martinès de Pasqually, seule une petite-nièce de sa seconde femme, Renée de Brimont dite « Belle Rose », a recueilli quelques indications : « Bec de corbeau sous la perruque poudrée… Voix rauque et impérieuse, regard qui fascine ».

On le disait portugais ou espagnol, mais il pourrait être né à Grenoble ou à Saint-Domingue. On le croyait juif, mais il avait produit un certificat de baptême et des billets de confession. En 1772, après avoir fondé un ordre dit des « Chevaliers Maçons Élus Coëns de l'Univers », il partit à Saint-Domingue recueillir un héritage et y mourut en 1774.

Saint-Domingue… À ces mots, mon fauteuil commença de flotter dans l'air, il me sembla survoler mes deux grandes tables encombrées de piles de livres et de papiers et en même temps je me voyais moi-même assis dans mon fauteuil, un peu plus jeune peut-être.

Saint-Domingue… Diane, ma troisième femme, était originaire de Saint-Domingue, son père, se disant historien, un vieux mulâtre qui vivait dans un petit hôtel particulier, rue de la Tour, à Paris, avec les boiseries de son yacht le *Stormbird* accrochées aux murs, était Rose-Croix, il avait fondé à Nice sur son bateau, vers 1966 ou 1967, une école de jeunes filles, une secte en réalité qui avait fini par un scandale. Détournement de mineures…

Mon esprit excité par l'opium de la veille venait d'entrer en contact avec celui d'Anita, j'imaginais ou plutôt je voyais Anita se livrant à la grande cérémonie de réintégration qui tenait à la fois de la messe catholique et des invocations démoniaques telles que les a représentées Kenneth Anger dans ses meilleurs films.

Retombé dans mon fauteuil d'où les vapeurs opiacées m'avaient tiré, je recopiai les notes d'Esther pour organiser la scène.

Il y a pour le Coën (« Coën signifie prêtre ») une invocation quotidienne, et une autre invocation répétée pendant trois jours entre la nouvelle lune et le premier quartier, mais une troisième série m'intéressait davantage. Surnommée « l'Opération », elle permettait à l'opérant au moment des deux équinoxes d'entrer en contact avec la « Chose ».

L'opération est renouvelée trois jours de suite. L'adepte s'habille d'un costume noir, puis revêt une robe blanche avec une bordure inférieure couleur de feu. Il prend deux cordons, l'un bleu, l'autre noir ; deux écharpes, l'une rouge, l'autre vert d'eau. Il trace à la craie un cercle *compliqué* puis vers dix heures du soir, commencent les prières : sept psaumes, les litanies des Saints. À minuit, il se déchausse, se couche ventre à terre, la tête posée sur les deux poings fermés. C'est alors qu'il doit subir l'étreinte de la « Chose ».

J'imaginai Anita, au sud de Madrid, durant l'équinoxe de printemps, une fois Brian abandonné à l'hôpital d'Albi, se livrant seule, une nuit d'orage, à ce cérémonial dans une pièce obscure et reculée d'une auberge de la sierra Morena.

L'équinoxe de printemps tombe en mars, le grand voyage avait commencé en février, la licence était permise. Je me rappelai soudain avoir lu une description plus précise du rituel dans une très bonne histoire de l'occultisme. J'allai la chercher dans ma bibliothèque ésotérique qui se trouvait près de la table de la salle à manger. Dans le passage consacré par l'auteur aux Rose-Croix, je dénichai une nouvelle description de la *Chose.* « Le grand mystère auquel Pasqually initia ses adeptes fut toujours désigné sous le nom un peu effrayant, par ce qu'il a d'imprécis, de "Chose". La "Chose" accomplit des phénomènes troublants, fait apparaître des morts, crée ce que les spirites appellent des matérialisations, dicte par l'intermédiaire d'objets (tables, porte-plumes). »

Du spiritisme sans médium. D'après *Le Catéchisme*

martiniste de Papus, « l'adepte, après avoir jeûné selon certaines données astrologiques, devait, vêtu de noir, sans métal (pas même une épingle), réciter l'office du Saint-Esprit, tracer à la craie un cercle et des mots : Rap, Iob, Oz, Fa, indiquant les régions célestes, puis disposer et allumer des cierges autour du cercle magique, brûler les parfums, entrer enfin dans le cercle et prononcer certaines paroles : "In qualique die, invocaro te, velociter exaudi me." Alors, après avoir éteint les luminaires, un à un, selon un ordre fixé, l'adepte se prosternait, les mains en équerre à plat sur le sol, la "Chose" le pénétrait et il voyait des apparitions. »

J'imaginais une excellente scène qui pourrait être reprise en majeur dans l'épisode 3 lors du suicide de Marianne à Sydney. Brian paradant d'apparitions en apparitions, Anita le verrait mort avant sa noyade, ce qu'il était en réalité. Comme souvent je tentais le diable. Qu'allait penser de mon idée mon nouvel ami coréen ? Les gens affiliés à des sociétés secrètes ou les adeptes de religions bizarres n'apprécient parfois pas beaucoup qu'on les démasque ou même qu'on empiète innocemment sur leur territoire, ils peuvent aussi craindre que leurs croyances soient tournées en ridicule ou que leur affiliation passe pour des manigances ou du fanatisme, surtout à notre époque qui fait de la laïcité une vertu cardinale, sinon un devoir.

Je commençai de rédiger la scène sans trop réfléchir. Elle devait rester mystérieuse et laisser soupçonner qu'Anita lançait un sort contre Brian. Tant pis si elle choquait le Coréen, j'étais décidément trop vieux pour me méfier des autres.

La scène pourrait se terminer par l'entrée de Keith qui la surprend en orante et la baise.

L'idée m'excita et je sortis pour aller baiser Esther la boudeuse dans sa gloriette.

J'ai toujours préparé mes voyages longtemps à l'avance. Celui-là, pour des raisons que j'évitais de sonder, me demanda encore plus de travail que les autres. Il y avait de la solennité dans le soin que je mettais à élaborer mon itinéraire, me documenter sur les étapes, choisir mes shorts, aligner sur le rebord d'une fenêtre les divers instruments dont j'allais faire usage : couteau de poche, petites jumelles japonaises, appareil photo argentique avec deux ou trois objectifs, crayon mine, et évidemment toute une bibliothèque de documentation. Devoir transporter des sacs de livres à chacun de mes déplacements est une des grandes raisons pour lesquelles, ma vie durant, j'ai préféré la voiture à tout autre moyen de transport.

Le choix de l'itinéraire ne dépendait pas de moi mais de Keith Richards. Le GPS n'existant pas en 1967, ni même la plupart des autoroutes, j'avais acheté tout un lot de cartes routières anciennes annotées suivant les différents témoignages que j'avais recueillis sur la question.

Les pop stars se comportaient dans leurs pèlerinages à la manière des touristes fortunés des années 1920. Keith voyageait avec un chauffeur qui pouvait à l'occasion rapatrier la Bentley dans le Sussex s'il décidait de rentrer en avion. Quant à l'itinéraire, j'étais fondé à penser que Tom Keylock, le remplaçant d'un chauffeur belge mystérieusement disparu après la descente de police, avait choisi de passer par Barcelone et Valence pour atteindre Algésiras, l'itinéraire Est, plutôt que celui que je connaissais bien et qui traversait la Castille jusqu'à l'Andalousie.

L'équipe de départ, partie de l'hôtel George V, était composée de Tom au volant, Keith à sa droite, Brian, Anita et Deborah Dixon à l'arrière. Elle s'était peu à peu réduite, Brian puis Deborah ayant été débarqués par le duo fatal que formaient Keith et Anita. Je pensais toujours à Arthur Penn et *Bonnie & Clyde*. Ce n'était pas la police qui les poursuivait, mais bien la mort qui était aux trousses de Brian et la fatalité qui allait unir, en ce printemps 67, Keith Richards et Anita Pallenberg.

Soignant les didascalies du scénario, je décrivais les échanges de regards entre les futurs amants, au début du voyage. Anita était coincée au milieu entre Brian malade et Deborah, Keith à la place du mort, fauteuil mal attribué puisque le mort était Brian, assis à l'arrière. Visuellement, grâce au rétroviseur, cela fonctionnait bien. Entre autres gadgets, bar, planque pour la drogue, la voiture offrait du côté du passager avant une installation de type « mange-disque » de marque Philips qui permettait à Keith de jouer les 45 tours du moment. Au début, les derniers singles de Bob Dylan ou des Who puis peu à peu la playlist s'était orientée vers des messages subliminaux délivrés par Keith à Anita. D'après le témoignage de Keith, la tension était montée les premières heures entre les passagers et Brian, malade, plus geignard, enfantin, tousseur et tyrannique que jamais. Il avait consulté un médecin à Paris pour ses problèmes respiratoires, mais celui-ci n'avait pas décelé la pneumonie qui allait conduire à une hospitalisation d'urgence à Albi puis un transfert à Toulouse. Toujours d'après Keith, même Tom le chauffeur, un dur à cuire, ancien combattant de la Seconde Guerre mondiale, avait perdu son sang-froid.

À l'étage, dans ses appartements, Esther s'occupait de son côté à des préparatifs qui, pour être plus capricieux que les miens, étranges même parfois, n'en étaient pas moins dictés par l'angoisse et les barrages nécessaires à en bloquer le flux. Petites digues infimes, fétiches, colifichets, longs foulards de soie de toutes les couleurs, dentelles, culottes, ceintures destinées à s'enrouler comme des serpents sur son sexe, vieilleries soigneusement entretenues dans leurs déchirures et leurs taches, alignées comme les victimes d'un safari sur l'immense lit couvert de coussins.

L'arrière de la Bentley de Keith n'était pas autrement décorée que cette chambre de jeune fille afghane dans laquelle elle aimait que je lui fasse l'amour. Pourquoi tous ces fétiches, pourquoi à la fin des années 1960, les gens à la page, l'aristocratie pop s'adonnait-elle à ces accumulations barbares, à cet orientalisme de bazar ? Influence fin-de-siècle chez Bill Willis et Bob Fraser ; Renée Vivien, Sarah Bernhardt, Pierre Loti ou Jean Lorrain se seraient sentis à l'aise, ou du moins en famille.

Mais Esther ne se reconnaissait pas volontiers dans les goûts des muses pop des années 1960, à force d'être galvaudées par les journaux de mode, Marianne, Anita, Talitha, Deborah, Tina avaient perdu de leur fraîcheur à ses yeux, et par snobisme elle préférait d'autres modèles plus étranges. Rien ne lui faisait plus plaisir lorsque nous sortions ensemble, elle en prostituée marocaine 1890, à demi nue sous des voiles de musulmane, tout ornée telle Kali de bracelets, aux chevilles, aux bras, aux seins, au sexe, que je la présente pour rire, inspiré par son type, comme la petite-nièce d'Oussama ben Laden. Elle souriait de ses belles dents un peu chevalines et ses merveilleux yeux noirs gros comme des calots lançaient des éclairs de magicienne.

Ému à cette idée, l'entendant fourailler à l'étage, j'avais envie de monter la rejoindre quand un ding me rappela l'existence de mon Coréen. Je ne sais pas si celui-là avait une femme ou seulement l'âge de se marier sans l'autorisation de ses parents, en tout cas il ne pensait pas à la gaudriole mais aux Rolling Stones.

La première question du jour concernait le « Pony », la danse que Tina Turner enseignait à Mick, la première fois que Marianne le rejoignit dans les coulisses du concert de Bristol, en 1966.

Le « Pony » était une forme de twist, cette révolution oubliée qui ravagea l'Occident à partir de 1961. Esther avait retrouvé un passage concernant le twist et ses variantes dans les Mémoires de Tina Turner. Par chance, je piochai le bout d'emballage où elle avait noté :

Au commencement était le Pony, puis le Fly, le Slop, le Bristol Stomp, le Mashed Potatoes, le Hully Gully… En 61-62 tout le monde, de Jackie Kennedy à Greta Garbo, allait danser le Twist et ses variantes mensuelles au Peppermint Lounge, 55e Rue W à New York.

Mon Coréen m'interrompit, il avait évidemment une longueur d'avance, ayant dégotté un tutoriel japonais de Pony et il m'envoyait un bout d'essai de la fameuse leçon donnée par Tina Turner à Mick qui allait inspirer les chorégraphies présentes et futures du chanteur des Stones.

Je regardai par devoir mais aussi par curiosité, car j'avais eu un échange assez drôle de messages vocaux en marge de la scène « Pony ».

Incidemment, ce matin-là, mon Coréen me fit une

de ses premières et très rares confidences intimes, il avait un frère jumeau et ce frère jumeau était chanteur d'opéra. Il avait gagné de très nombreux concours internationaux et se produisait le soir même à l'Opéra Bastille dans une production de *Don Giovanni*. Immédiatement je regardai des vidéos de lui sur mon téléphone et quelle ne fut pas ma surprise de voir le double exact de mon réalisateur en train de chanter du Mozart ou du Verdi. Il avait une très belle voix mais les gros plans révélaient le même physique d'enfant douanier.

Lorsqu'on m'envoya les essais de Mick et Tina dansant le twist, j'eus exactement la même impression. Ce qui passait dans le brouhaha des coulisses, filmé de loin à la manière d'images volées – surtout que le garçon dansait plutôt bien et que la Tina Turner paraissait plus vraie que nature –, deviendrait ridicule dès qu'on verrait trop bien les visages. Sans être expert, je savais que les gros plans étaient le premier impératif des productions télé. Puis encore une fois, ce n'était pas mon job.

Un autre ding m'annonça que le pseudo-Mick Jagger était renvoyé, à la demande de la production.

J'étais curieux de savoir pourquoi. Ils avaient déjà tourné plusieurs séquences sans que le réalisateur paraisse s'émouvoir des pitreries sans âme du jeune premier. J'appelai Viva Film et j'eus du mal à me retenir de rire. Le faux Mick était viré parce qu'il avait été surpris en train de boire de la vodka dans une bouteille d'Évian. Dans le milieu des séries, on se montrait plutôt coulant avec les excitants mais l'alcool était strictement prohibé. Sans tomber dans la complaisance, il était comique de voir à quel point l'époque avait évolué par rapport aux années 1960. Pourquoi s'obstiner à vouloir raconter les mêmes légendes ? Mes producteurs, qui avaient exceptionnellement du temps à perdre et croyaient tenir la réponse à toutes mes questions, interprétées comme autant de tentatives de subversion, me rétorquèrent impassibles que le vrai Mick Jagger s'était toujours battu contre les addictions diverses de ses compagnons, à commencer par Brian, puis Keith dès qu'il avait suivi la pente de Brian.

Je ne pris pas la peine de relever. Je me demandai quel sous-chanteur de Téléphone ils allaient sortir pour remplacer le faux chanteur d'Aerosmith. Comme s'ils avaient deviné mes pensées, ils m'envoyèrent les bouts d'essai de l'heureux élu. Je dus constater qu'il était bien meilleur. Un petit Anglais teigneux, aussi lippu que le vrai mais beaucoup moins bodybuildé que le premier. Il paraissait chétif, plutôt sexy et très bon danseur. Pourquoi avait-il été relégué en second choix ? Le Canadien ivrogne avait dû être imposé par un des coproducteurs, un gay, auteur du télé-crochet qui avait découvert cet ancien G.O. de club de vacances. Je compris soudain pourquoi la vidéo du réalisateur m'avait paru bonne. C'était le nouveau Mick qui dansait avec Tina Turner. Le

Coréen n'avait pas pensé à me prévenir, jugeant que la question n'intéressait pas le scénario.

Cahin-caha, et sans que la volonté de quiconque y soit vraiment pour quelque chose, l'affaire prenait une meilleure tournure. Les nouveaux Rolling Stones sortaient peu à peu de leur moule préfabriqué pour s'orienter vers une interprétation plus sentie. Je me surpris à y croire et je me réjouis de partir en Espagne.

Nouveau ding, mail de l'éditeur. Il me confirmait la commande de ma nouvelle pour sa revue littéraire. Il envisageait derrière un petit livre d'une centaine de pages. « Votre grand retour à littérature », disait-il avec cette flagornerie qui me laissait penser que les gens de sa profession prenaient les écrivains pour des cons, alors qu'il s'agit en général d'une autosuggestion commerciale dont ils ont besoin pour éditer des âneries. Je dois avouer que le message me fit plaisir. Par expérience, je savais qu'il fallait toujours commencer à écrire avant le début d'un voyage. Une fois que la machine était lancée, il suffisait d'une heure par jour à l'aube pour accomplir mon œuvre. Du moins, c'était ainsi avant la fêlure.

Je montai prévenir Esther, mais elle était au téléphone ; un échange en anglais, sûrement pour son travail.

En m'asseyant devant mon bureau, j'avais le même trac qu'un dompteur que la maladie ou un accident a obligé d'interrompre son numéro et qui doit retourner pour la première fois depuis longtemps dans la cage aux fauves. Je ne tremblais pas mais je sentais la tension de mes nerfs, la gorge serrée d'angoisse. Je me jetai dans la narration, une phrase sur le printemps en Andalousie. J'imaginai la sierra Morena trempée par une averse et la Bentley qui filait sous l'œil des ramasseuses d'escargots, des petits-gris, un travail de gitan. Une enfant gitane, fillette de 12 ans mais déjà femme par l'allure, échangeait un regard avec la passagère de la Bentley qui portait un chapeau blanc sur sa frange de cheveux blonds décolorés. Anita criait quelque chose au chauffeur et la Bentley s'arrêtait, puis commençait à reculer sans faire trop de bruit avec une lenteur menaçante. Soudain la scène s'animait sous mes doigts, l'angoisse se transformait en une excitation parfaitement contrôlée. Les mots me venaient selon un processus que j'avais mis longtemps à accepter. J'étais redevenu l'artiste d'autrefois, celui qui ne censurait rien, laissait les phrases s'inventer elles-mêmes sans y réfléchir, sans plus savoir trop ce que j'écrivais. La menaçante reculade de la Bentley m'était inspirée par un témoignage que j'avais lu autrefois à propos du tueur sadique américain surnommé « Zodiac ». D'où me vint une tonalité astrologique. Je parlais du ciel au-dessus de la tête d'Anita Pallenberg et de la gitanilla, et des cycles mystérieux que la pleine lumière castillane rend plus mystérieux encore. Nous quittions les Verseaux pour entrer dans les Poissons et Anita, mue par une sorte d'hystérie particulière, voulait s'accaparer un peu de la peau de la sauvage petite gueuse. La veille avait eu lieu leur première nuit d'amour avec Keith. Suivant un instinct qui ne la trahissait pas, Anita savait que l'histoire était plus que sérieuse, que des enfants naîtraient de cette union, toucher la chair brune, presque chocolat, de cette enfant femme blonde aux yeux clairs, cambrée comme une danseuse, était un porte-bonheur, un heureux sort lancé vers les lendemains. Keith regardait lui aussi la petite dans les yeux, elle lui tendit son panier d'escargots. Les cheveux de Keith effleurèrent ceux d'Anita quand ils se penchèrent ensemble pour regarder ce que contenait le panier. Comme Esther et moi, la mauvaise conscience commune les unissait au moins autant que le désir, les couples liés par le crime et c'était leur cas, plus menacés que les amoureux ordinaires, ne peuvent se passer l'un de l'autre une seconde, je le répète, leur vie ressemble à une cavale incessante. En miroir de cet épisode imaginaire me revint l'écho d'une histoire racontée par Spanish Tony, le voyou gitan qui allait devenir le dealer et l'âme damnée du couple à l'époque de l'exil à Villefranche. Peu avant la mort de Brian, Anita aurait fait stopper sa voiture sur une route marocaine pour aller tremper son mouchoir dans le sang d'un pauvre marchand d'oranges qui venait de se faire écraser par un camion. Spanish Tony y voyait l'influence de Kenneth Anger. Il confirmait par sous-entendu (effet du service juridique de l'éditeur) que la Reine noire de *Barbarella* avait lancé un sort contre Brian et que le sang humain recueilli dans de telles conditions servait à fabriquer des maléfices.

Au moment où j'étais plongé dans ces réflexions, j'entendis Esther marcher à l'étage et je sus que la machine était repartie. J'allais écrire en sa compagnie la fuite en avant de Keith et Anita, chaque jour qui viendrait, chaque jour qui me séparait de la mort, et cette fuite dans l'abîme du temps donnerait à la nôtre la valeur d'un jeu qui échappe à l'angoisse du réel. La littérature avait repris la main, et ma vie avait de nouveau un sens, fût-il tragique, il courait dans les deux dimensions du passé et du présent. Anita était morte, les scintillantes saisons d'antan avaient fui à la vitesse d'un orage mais notre propre sacrifice réitéré, loin d'un simple pèlerinage, ferait remonter sous ma main la splendeur sorcière des choses d'alors. Cinquante ans s'étaient écoulés et les cinquante ans à venir s'écouleraient sans qu'Esther m'oublie. Bientôt, je serais poussière comme Anita mais les jours heureux continueraient de flotter dans ses larmes longtemps après ma mort.

J'interrompis mon travail au moment où je sentis que les choses se passaient trop facilement. Le flux de l'inspiration risquait de tourner au babillage, et la matière à reprendre me ralentirait dans le passage à écrire le lendemain.

Aussitôt que j'eus fait l'effort d'arrêter, l'angoisse remonta. À mes débuts d'écrivain, l'excitation créatrice pouvait durer plusieurs heures après la fin de la séance, puis peu à peu l'euphorie avait cessé. J'étais comme un junkie en fin de course, j'écrivais seulement pour être normal, moins terrible durant le moment de la séance. Ensuite, les terreurs remontaient. Je me levai en proie à quelque chose qui ressemblait à de la panique. J'avais oublié ce que ça faisait d'écrire. Parce que quand on n'écrit pas du tout, enfin, j'entends, pas de littérature, on s'anesthésie. La sensibilité émoussée laisse une certaine tranquillité s'installer, ce n'est pas la paix mais une torpeur comparable à l'effet des calmants. La terreur est plus enfouie, la torture de la vie presque supportable. Les soucis ne sont qu'un dérivatif, une manière de ne pas penser. Écrire réveille la vraie conscience ou du moins la titille. Je marchais de long en large pour essayer de redescendre. À ce moment Esther entra dans la pièce, l'air que je pris en la regardant l'alerta aussitôt et les larmes lui montèrent aux yeux. Je me sentais coupable de lui faire peur, mais rien ne pouvait empêcher la panique. J'étais bouleversé, elle me regardait avec l'expression d'un enfant qu'on vient de frapper pour la première fois, une bête plutôt, car elle restait silencieuse. Je lui dis « j'ai recommencé à écrire », elle se calma et se blottit dans mes bras en me disant « j'avais compris ». Aussitôt que je sentis son corps contre le mien, la panique laissa place à une montée d'excitation bestiale. J'avais besoin de la prendre tout de suite, sa soumission, le fait qu'elle m'ait pardonné si vite de lui avoir fait du mal, un simple regard avait suffi, me la livrait tout entière comme une prisonnière dont j'étais libre d'abuser à volonté. Je lui avais fait si peur que notre plaisir en fut augmenté. Ses gémissements apaisaient mon angoisse, sa posture accroupie jambe ouverte, l'abondance de jus qui coulait de son sexe me rendaient joyeux. J'avais retrouvé le plaisir de vivre. Cette joie que la perspective abyssale ouverte par la littérature rendait d'autant plus légère qu'elle était menacée. Nos cinquante années d'écart avaient disparu, nous n'étions plus qu'un homme et une femme faisant l'amour. Les jeunes filles sont des femmes âgées et les femmes âgées des jeunes filles, il n'y a que peu de différence à les aimer physiquement. J'avais baisé avec des femmes qui avaient plus de 70 ans, aussitôt entrées dans la montée du plaisir, elles rajeunissaient comme par magie, leur beauté ancienne revenait les visiter, tels ces fous qui reprennent soudain raison quelques instants, et je voyais par moments dans le visage d'Esther, sous certains angles, la femme qu'elle serait plus tard quand je ne serais plus là. Pénétrée par moi, souffrant sous mon joug, la vieille Esther si pareille à sa grand-mère Ida dont elle m'avait montré la photo, semblait me dire sous la déformation de son masque, voilà je suis toute à toi, passée, présente et future, je t'appartiens totalement jusqu'à ma propre mort.

À quelle heure la Bentley bleue s'engagea-t-elle dans l'avenue George V pour prendre au rond-point des Champs-Élysées la direction de la rive gauche de la Seine et du Sud-Ouest ? Je n'avais trouvé aucune information précise à ce sujet. Je tablais sur une soirée tardive chez Castel, enchaînée à des préparatifs rapides. C'était la mode dans ces années-là de filer en voiture à l'aube en sortant de fête. Sagan avait donné l'exemple depuis longtemps. Vivre vite et mourir jeune ne réclame pas trop de bagages aux beaux cadavres. Les tenues n'exigeaient pas des malles-cabines mais plutôt des sacs de peau souple où paillettes, bouquins et fourrures s'entassaient en vrac. On était en février, il faisait froid, j'imaginais les quatre jeunes gens échevelés serrés sur une banquette du hall de l'hôtel, emballés comme des agneaux dans leur peau de mouton retournée, chèvre du Tibet, ou singe noir aux poils longs telles les bêtes du premier Tarzan. Les bottes de Keith en daim marron, souples comme des gants de femme, venaient de chez Cardin. Il les avait achetées quelques mois plus tôt pendant une après-midi de shopping avec Andy, le manager allumé qui avait disparu en Californie.

Keith aimait pavoiser sa voiture d'un petit fanion triangulaire à l'avant. Il changerait suivant l'humeur à Barcelone quelques jours plus tard, Lena arborerait les couleurs du Vatican. D'ici là, la tragédie de Brian se serait nouée à l'hôpital d'Albi. Pour le moment, l'enfant malheureux, immature et déjà vieux, était appuyé sur l'épaule de Deborah Dixon. Conversation molle, éteinte mais avec un fond brûlant entre Deborah et Anita, elles parlaient encore une fois de magie.

Ici il faudrait faire le portrait physique et moral de Deborah Dixon, modèle et compagne de Donald Cammell, l'auteur de *Performance*. Une de ces Américaines à cou de cygne, sportives, plus larges d'épaules que les modèles des années 1950, un peu de Veruschka, sa rivale, une très large fossette au menton, d'immenses yeux bleu-gris. Avec cela de gros pulls tricotés secoués par de petits seins hauts, assez de conversation je crois, mais saine en dépit des drogues. Je me rappelais avoir dîné vers la fin des années 1970, rue Delambre, avec un garçon blond, déjà vieux lui aussi, Claude, qui m'avait montré les fenêtres de l'atelier occupé par Cammell et Dixon dix ou quinze ans plus tôt. Ce Claude était un ami d'enfance de Deborah, il voulait me la présenter mais en quarante ans, nous n'avions jamais trouvé l'occasion. Claude était mort depuis.

Comme je l'ai déjà dit, la magie noire intéressait beaucoup de gens à l'époque. Le cercle de Brian et Anita entretenait quelques affinités supplémentaires avec le haut du panier luciférien. Le père de Donald Cammell avait été le biographe et l'ami d'Aleister Crowley. Cammell admirait le cinéma de Kenneth Anger, et son film *Performance* est inspiré des films du mage californien, en particulier les scènes d'intérieur chez Mick Jagger. Anger était obsédé par le chanteur des Rolling Stones. Toutes ces énergies négatives tendaient à se concentrer.

La veille, chez un antiquaire du Palais-Royal, Anita venait de trouver une vieille bague d'époque romaine, un caillou noir gravé d'une swastika. Elle l'avait enfilée à son majeur sans trop savoir ce qu'elle faisait. Puis le soir venu impossible de la retirer, jusqu'à ce que la savonnette du George V finisse par dénouer l'enchantement.

À quel âge ai-je perdu ma joie de vivre ? Difficile à établir. Quelque part aux alentours de 60 ans. Insidieusement, je l'ai dit, la nature m'est devenue moins amie. La consolation que j'y trouvais depuis mon enfance s'est envolée. Plusieurs livres où j'ai joué avec le mal ont, je crois, contribué à ce malheur. La catastrophe qui a suivi le dernier (l'atroce rupture avec Cora) n'était que l'aboutissement d'un processus. Le flirt d'Anita Pallenberg et de Marianne

Faithfull avec la magie noire n'est pas étranger aux maléfices qui suivirent. Ici, maintenant, dans le grand hall du George V, Brian écoutait ce que disaient les filles, mais d'une oreille. Non seulement il était complètement schlass à la suite de la nuit passée mais il était malade, épuisé par la drogue, l'insomnie et les tournées successives. L'asthme dont il souffrait en permanence cachait une bronchite en voie de devenir une pneumonie. Il ressemblait de plus en plus à un clown triste et fardé. L'extravagance de ses tenues vestimentaires ne faisait que renforcer cette impression. La perte de la joie de vivre, phénomène propre à certaines drogues mais aussi à un vieillissement prématuré, rend méchant. La fougue des débuts s'était transformée en une rage pénible et ridicule, il faisait sans cesse des colères d'enfant. Son impuissance sexuelle, qui le conduisait à multiplier les orgies sans y trouver d'autres plaisirs que le voyeurisme, rendait les femmes à la fois maternelles et méprisantes.

Dernier soir de préparatif avant la descente en Espagne. Je serrai dans une serviette de cuir le morceau de littérature que j'avais commencé à composer à propos de l'autre voyage. Je manquais encore de renseignements sur le hall du George V en 1967. Esther offrit de m'aider. Cette scène d'hôtel n'existait pas dans le scénario. Décors trop lourds, la caméra prendrait les voyageurs directement dans la Bentley, un véhicule spécialement préparé pour le film. Les portières démontées, la voiture serait tractée par un camion et il y aurait un plateau fixé sur le flanc pour l'opérateur. Longue discussion avec le Coréen à propos de ce chef-d'œuvre de cinéma automobile qu'est *Two-Lane Blacktop* (*Macadam à deux voies*). Il m'avait envoyé les photos de plateau du film de Monte Hellman pour me faire comprendre le système. Nous étions dans les meilleurs termes, les échanges à propos de la Rose-Croix n'avaient pas eu les effets pervers que j'appréhendais, au contraire. Pour des raisons d'organisation, les scènes de l'arrestation à Redlands et de l'affolement qui suivit dans l'entourage des Stones devaient finalement se tourner en Espagne, faute de pouvoir entrer en Angleterre sous blocus sanitaire. J'avais à réécrire une dernière version du script. Ce qui me permettait de développer un nouveau personnage, David Levy, alias David Litvinoff. Ce Juif de Whitechapel, gangster intellectuel, mythomane et violent, était le chaînon entre les Stones, la gentry et le Londres sulfureux des frères Kray, les parrains de la pègre londonienne.

C'est lui qui avait torturé le pauvre parasite hippie Nicky Kramer car les Stones le soupçonnaient d'être l'indicateur qui avait conduit les flics de Chichester à Redlands. Il existe un beau portrait de Litvinoff par Lucian Freud. Il porte un capuchon sur la tête comme un moine de Giotto. J'avais cherché sa trace dans les biographies de Freud, sans succès. Leur amitié datait de l'époque où le peintre venait de divorcer de Caroline Blackwood. Le Coréen avait découvert une perle, un livre étonnant, intitulé *Jumpin' Jack Flash*. Publié il y a quelques années, cet ouvrage était entièrement consacré à ce personnage de second rayon, que ses amis surnommaient « Fagin » en référence au personnage du « Juif » dans *Oliver Twist*. Litvinoff avait quelques points communs avec un autre personnage romanesque, « l'homme qui rit » de Victor Hugo. Deux larges cicatrices prolongeaient la commissure de ses lèvres, séquelles d'une punition infligée par les frères Kray, qui le soupçonnaient de trop bavarder. Ligoté nu sur une chaise, on lui avait incisé à vif les deux coins de la bouche avant de le suspendre, défiguré, à sa fenêtre du second étage où il avait attendu l'aube grelottante en arrosant le trottoir de son sang.

L'influence de Tarantino n'épargnant personne et surtout pas les producteurs de série, tout le monde avait adoré l'idée de placer cette séquence de sadisme en ouverture du premier épisode. C'était Litvinoff qui avait présenté les voyous de l'East End à son camarade de jeunesse Donald Cammell, raison pour laquelle le film *Performance* regorgeait de durs jouant leurs vrais rôles. C'était aussi Litvinoff qui avait pris en charge la préparation du fragile et distingué acteur James Fox à son rôle de voyou.

Litvinoff n'est pas crédité au générique de *Performance*, à la différence de son camarade John Bindon, un maquereau, futur compagnon de fiesta de la princesse Margaret. La sœur de la reine Élisabeth II admirait ce garçon pour son seul réel talent : il pouvait soutenir cinq demi-pintes de bière sur son sexe en érection. Les amitiés particulières entre l'aristocratie anglaise et la plus basse pègre auraient pu faire l'objet d'une série, je laissais à mes collègues britanniques le soin de la concevoir. Toujours était-il que Litvinoff passionnait mes producteurs et qu'ils m'avaient demandé de retravailler certaines scènes du début pour mettre en valeur cet intéressant caractère.

Esther n'était pas indifférente au personnage. Je n'avais jamais vécu avec une vraie Juive et j'étais surpris de constater à quel point le critère d'élection comptait pour la mienne. Le côté mauvais garçon issu du sang de Moïse éveillait chez elle un sentiment presque familial.

Pour le dernier soir, nous décidâmes de dîner à la bougie dans l'obscure salle à manger du presbytère que j'avais, à force de chine et de patience, tapissée d'anciens miroirs au mercure. La figure d'Esther reproduite à l'infini dans les reflets renversés des miroirs vénitiens ressemblait à ces têtes mystérieuses couronnées de séraphins qu'on aperçoit sur les illustrations des contes allemands de l'époque romantique. Il faisait frais et j'avais revêtu ma vieille robe de chambre, ainsi qu'un petit bonnet de velours qui protégeait ma calvitie. Les bouclettes qui coulaient de mes tempes me composaient une figure de magicien assez crédible.

Le point de départ de la carrière de David Litvinoff était les cercles de jeu clandestins que l'aristocratie anglaise avait installés sur les terrains du duc de Westminster dans le quartier de Belgravia. Je n'arrivais pas à démêler les intrigues liées autour d'un bar nommé L'Esmeralda. J'expliquais à Esther une idée purement scénaristique qui pouvait permettre de pousser en avant son rôle et répondre ainsi aux souhaits de mes commanditaires. Lorsque j'exprimai cette idée, Esther ne put dissimuler un sourire : je devenais trop scénariste pour son goût, ou avait-elle par intuition devancé ma pensée, et se préparait-elle à accueillir avec la froideur méritée, une hypothèse certes scénaristique mais qui reflétait, à mon insu, un préjugé issu de mon éducation catholique ? Afin de recentrer le personnage de Litvinoff et de le mieux développer, j'avais tout simplement l'idée d'en faire le traître, la balance qui avait informé la police, ou plus directement le journal *News of the World*. Cette hypothèse, purement romanesque, reposait sur deux ou trois indices réels. Le premier, c'est que Litvinoff avait travaillé pour la presse à sensation, c'était lui qui, quelques années plus tôt, avait monté de toutes pièces un scandale autour de son portrait par Lucian Freud, dont il désapprouvait le titre *The Procurer* (en français « le proxénète »), titre que Freud avait imaginé par dégoût de la notion de portrait, remué qu'il était par sa rupture avec Caroline Blackwood. Le titre initial du tableau était *Portrait of a Jew*. Esther frémit à l'énoncé de ce Jew, mais je lui expliquai que cela ne gênait personne et surtout pas Litvinoff. Freud étant juif, tout cela paraissait normal dans l'Angleterre de la fin des années 1950. Cette querelle de clocher – Esther sourit de nouveau à l'énoncé du mot « clocher » – avait fait la une d'un torchon où Litvinoff grenouillait en tant que pigiste… C'était évidemment un coup monté pour faire parler de lui. Le second indice était la punition cruelle que lui avaient fait subir les rois de la pègre londonienne : l'incision des lèvres marquant qu'il était une « big mouth » (cette affaire était liée à L'Esmeralda mais impossible d'y voir clair). Le troisième indice concordant était l'initiative qu'il avait prise de torturer le pauvre traîne-savate qui avait accompagné Keith à Redlands. Après l'avoir roué de coups, il l'avait suspendu par les pieds à la fenêtre d'un immeuble, exactement comme lui-même avait été suspendu après l'incision des lèvres par les sbires des Kray. Pas besoin d'avoir beaucoup fréquenté les écoles de garçons pour savoir que ce genre de transfert était monnaie courante, le faible faisant subir au plus faible les tortures et les humiliations que les plus forts lui ont imposées.

— En fait, tu veux faire du seul Juif de ton film un Judas ? Aha !

J'expliquai aux mille reflets d'Esther qui me fixaient dans l'abîme des miroirs, que la question juive était aujourd'hui moins centrale aux yeux des producteurs de cinéma et de série qu'elle ne l'avait été dans les décennies précédentes. Ils étaient tous tellement obsédés à l'idée de mettre les Noirs en valeur (ici précisément en gonflant le rôle de Tina Turner, de Ray Charles ou de Jimi Hendrix, quitte à en faire de ces personnages à thèse que le cinéma communiste n'aurait pas reniés) qu'ils n'y verraient que du feu si je mettais Litvinoff dans un rôle de traître, du moment que son temps de présence à l'écran créait des rebondissements et permettait de développer la complexité de son caractère.

Mes arguments firent rire Esther, mais je la sentais quand même troublée par mon cynisme. Nous continuâmes à plaisanter – elle me suggérant de faire du traître Litvinoff un Russe ou un Arménien – mais les mille reflets brouillés par la vapeur du potage au poireau semblaient s'éloigner de moi et s'évanouir dans la nuit.

La sonnerie de mon téléphone interrompit le dîner, Esther fila à l'étage et je répondis à la décoratrice que je n'avais pas réussi à faire virer malgré mes efforts auprès du Coréen. L'ordre du jour concernait la décoration intérieure de la Bentley Blue Lena.

Ségolène m'apprit que le tournage des séquences automobiles commencerait dans deux jours, si toutefois le nouveau Brian Jones voulait bien se réveiller. Son téléphone sonnait dans le vide, il s'était sans doute perdu dans une orgie à Amsterdam.

Décidément l'acteur avait l'air bon, il poussait loin l'art de se mettre dans la peau du personnage. Comme il arrive souvent avec les membres d'une équipe de cinéma, Ségolène se régalait des déboires du réalisateur et de ses assistants. Cette malveillance de domestique m'agaçait et je ne rentrai pas dans ses ragots. Elle perça mon hostilité et chercha à me mettre la responsabilité de son incompétence sur le dos, tout en me faisant travailler à sa place. J'avais lu quelque part une description précise des places arrière de la Bentley, décorées de coussins et de patchwork tibétains suivant la mode de l'époque. Elle avait insisté pour rajouter un narguilé et des instruments de musique arabe, prétextant qu'ils étaient présents dans la description que je lui avais fournie – ce qui était faux – et se plaignant du Coréen qui ne voulait pas en entendre parler.

Cette nouvelle tentative de me mettre en porte à faux en créant une complicité avait pour but évident de désamorcer mon intervention dans la direction artistique du film qui opprimait sa liberté et ne correspondait à aucun critère syndical en vigueur. Je lui précisai d'une voix adoucie par une colère rentrée que je n'avais jamais évoqué la présence d'un narguilé ou d'un luth égyptien, ni même d'un pipeau ou d'une flûte de Pan dans le souk arrière de la Bentley. Que Brian ait emporté avec lui un instrument de musique pouvait éventuellement lui permettre d'accentuer son attitude d'enfant pénible en créant une cacophonie insupportable pour les autres passagers, contrariant au passage Keith qui jouait les disc-jockeys.

Pour couper court, je demandai à Ségolène si le rôle du chauffeur, un vétéran de la Seconde Guerre qui s'était battu à Arnheim, avait été enfin pourvu. Les expressions du visage de cet homme dans le rétroviseur central créaient dans mon scénario un fil rouge entre les séquences avec Brian et celles où la place de Brian serait occupée par Keith, remplacement qui marquait l'entrée dans la dernière partie de la première époque. Ses yeux étaient ceux d'un homme des années 1950 qui voyait son monde exploser sur les places arrière de la voiture, avec les sierras en cyclo à la manière des vieux films. Les « adultes » autour des Rolling Stones : propriétaires de clubs, gominés, qui ressemblaient à ceux de Jayne Mansfield dans *La Blonde et moi*, parents de Mick ou de Marianne, avocats, flics, juges, chauffeurs, acteurs gangsters de *Performance*, devaient marquer le temps d'avant observant la poussée formidable qui changeait les mœurs et les identités sexuelles ; « Times are a-changin' » suivant la chanson de Bob Dylan qu'on pourrait jouer sur le Philips de la Bentley, si le montant des droits musicaux le permettait. Fin de l'épisode.

Ségolène m'écouta en silence, puis elle prit congé et raccrocha avec une politesse froide.

Je rechignais à monter finir mes bagages. Devant moi par terre sur le tapis s'étalait la vieille carte

Michelin où j'avais marqué au crayon rouge l'itinéraire probable de la voiture de Keith entre le George V, leur point de départ et l'hôpital d'Albi. Le premier soir, ils avaient tous dormi dans une seule chambre, faute d'avoir prévu un hébergement.

J'ai connu le Tarn de ces années-là, les hôtels de mauvaise catégorie, chambres sordides, literies défoncées, papier toilette découpé dans les quotidiens régionaux ou dans de vieux *France Dimanche* ; en bas, au rez-de-chaussée, un bar ou un resto routier. J'imaginai l'arrivée de la petite troupe vers dix heures du soir. Deux filles sublimes comme on n'en voyait jamais en province à une époque où les différences étaient tellement plus marquées qu'aujourd'hui entre les gens de peu, les bourgeois et les gens à la mode. Deux chevelus, dont un petit blond habillé comme une fille, toussant et éructant. Des Anglais dans une voiture superbe qui faisait l'admiration des petits blousons noirs en pétrolette, silhouettes malingres, agressives avec des peaux grêlées et les cheveux coiffés au Pento. Peu de chances qu'on ait reconnu les Rolling Stones. La nuit avait dû être courte. Anita et Deborah avaient peut-être dormi ensemble, laissant Brian s'étouffer et geindre dans la nuit. Keith, le plus téméraire, était peut-être allé s'approvisionner au bar en bières et en cigarettes. Il avait peut-être fait un flipper. Ils avaient forcément fumé des joints en ouvrant la fenêtre sur la nuit froide. J'écrivis la scène rapidement, quelques lignes grattées sur une enveloppe kraft déchirée. Insidieusement le sortilège agit, je me mis à écrire pour de bon. J'imaginai le chauffeur dormant dans la voiture, ombre rigide vautrée dans les coussins, en sous-vêtements, un roman de Ian Fleming étalé sur l'estomac comme un éventail. L'influence de Donald Cammell et de Nicolas Roeg se faisait sentir dans cette séquence nocturne.

Puis vient l'aube après les premiers chants d'oiseaux. La rosée qui recouvre les vitres de la voiture comme une pellicule de givre. Une main, une petite main blanche dessine un hublot, apparaît le visage de Brian Jones. Une tête réduite d'enfant malade, prématurément vieilli, de lourdes poches sous les yeux, la peau blette, les traits tirés. Il n'a toujours pas dormi ou presque, étouffé par l'asthme et la bronchite surinfectée. Il a avalé des pilules, un mélange de barbituriques et d'amphétamines qui aurait tué Marilyn Monroe, mais pas lui. Il réveille l'homme en slip qui dort sur la banquette arrière de la Bentley comme un valet de comédie, une belle bête anglaise, corps de boxeur à l'ancienne, touffe de poils sous les aisselles, odeur de rouquin. L'homme le regarde d'un œil vide, hier le blondin l'insupportait, ce matin à l'aube il n'est plus dans les mêmes dispositions. C'est un militaire, un père aussi. Il regarde cet être fragile, malade, malade pour de bon, le voile gris des mourants couvre son visage comme une autre peau. Tom connaît, il a vu cela dans les infirmeries de campagne, sur le front belge de l'hiver 44. Ce gamin pue la mort, sous ses fourrures et ses bijoux il n'y a plus grand-chose, la vie est déjà partie à moitié. Brian ouvre la portière avant de la Bentley et se pose comme un vieux papillon sur le siège de cuir bleu. Il dit une phrase du genre « ça va Tom ? » et Tom lui répond quelque chose comme « oui ça va Brian ». Le mot « Brian » fait sourire Brian, il montre de toutes petites dents. Ses yeux étrécis, brillants de fièvre, se posent sur le chauffeur un peu gêné de se retrouver à la place du patron et l'autre à celle du chauffeur. Brian tripote des boutons, caresse le bois du tableau de bord, farfouille dans les 45 tours rangés dans une pochette de cuir en soufflet. Il regarde les pochettes des disques, il cherche quelque chose, son morceau, le seul qu'il ait composé au sein de cette formation qu'il a créée. Déficit d'attention. Il n'arrive jamais à se concentrer assez pour composer. Il lui faut toujours faire trente-six choses à la fois. C'est cela qui le rend noir et violent. Suicidaire. Plus Rolling Stone que tous les autres Rolling Stones réunis. L'âme du désastre. Une fois seulement, ils lui ont laissé les manettes. C'est un bon morceau, exemplaire de la première époque, mais le pire c'est qu'il ne se rappelle plus le titre. Dehors la nature s'éclaire. Hier il a plu, alors l'air est limpide ; s'il ne faisait pas si froid ça serait une belle journée de printemps. La voiture est garée dans une cour pavée, celle d'un ancien relais postal. Des écuries, une tinette, un vieux noyer encore nu. Les branches noires sur l'azur. Brian s'étouffe, il tousse, tousse d'une toux caverneuse, des quintes qui le laissent pantois, tremblant comme une biche sous sa peau de loup. C'est Tom qui va décider de le conduire chez le médecin. C'est le bon père, le bon militaire qui sans le savoir, va provoquer le rapprochement des futurs amants, Keith et Anita, ouvrir cette période terrible de drogues, d'amour et de soleil qui durera jusqu'à la fin des années 1970. Dans le Tarn, à l'époque, il y a encore des médecins de campagne, des gens qu'on peut réveiller la nuit.

— Mimi, j'ai perdu mes Xanax...

Esther venait d'entrer dans mon bureau. Encadrée par les montants de bois noirs de la porte, elle semblait soutenir de sa coiffure compliquée le massacre de cerf accroché au linteau. Les coiffures d'Esther faisaient ma joie. Elle avait l'art de mêler à sa chevelure crépue, aussi noire que celle de ses ancêtres de Salonique ou de Cordoue, des mantilles de dentelle, des filets, des voiles de soie qui lui dessinaient des parures à la fois provisoires et d'une sophistication extrême. Ses yeux énormes agrandis encore par des ombres à paupières pailletées brillaient comme ceux d'une idole de Félicien Rops. Sur ses épaules osseuses, où chaque angle des omoplates et des rotules se dessinait à la lumière des bougies, pendait un déshabillé de panne de soie rose tachetée de rouille et de brûlures de cigarettes. Cette loque descendait en ficelles sur ses chevilles aussi longues et fines que les pattes d'un lévrier, les pieds, petits pour sa taille, à peine 37 alors qu'elle mesurait 1,76 mètre, fins, pointus, étaient chaussés de babouches blanches, d'une qualité très médiocre mais restées immaculées car elle portait le soin le plus méticuleux à ses moindres affaires, fussent-elles des hardes ou des chiffons.

— Tu ne veux pas m'aider à les chercher ?

Elle s'approcha, laissant bâiller sa pelure de velours sur un ventre plat où la toison pubienne, fournie et géométriquement plantée, semblait un postiche collé par un de ces adhésifs dont usent les coiffeuses et les accessoiristes de cinéma. Le peu de réalisme d'Esther, cette présence au monde purement fétichiste, ce flegme d'ectoplasme qu'elle ne perdait jamais, même dans les situations critiques, ici la perte de ses anxiolytiques, formaient le principe de la grâce. Elle lut dans mes yeux mon émerveillement et vint donner du bassin à quelques centimètres de ma bouche. Écartant le tissu, j'attrapai les cornes extérieures de ses hanches et approchai ma barbe de sa toison. Elle s'écarta gentiment, me caressant les cheveux pour atténuer le sens de sa dérobade, me signifiant par ses doigts qu'elle ne me repoussait pas mais voulait avant tout qu'on retrouve ses Xanax.

J'abandonnai Brian à son médecin de campagne et je suivis Esther à l'étage, découvrant un spectacle auquel j'aurais dû m'attendre mais qui me surprit, sans doute parce que je n'étais pas encore éveillé de mon travail d'écriture, ce dédoublement somnambulique.

Esther avait éparpillé des affaires dans chacune des chambres, le presbytère en comptait cinq, distribuées en étoile autour d'un palier central. Sa manière de « packer », comme elle disait, ses bagages m'avait souvent laissé perplexe, mais là le paroxysme était atteint. À la façon des chiffonniers, elle classait ce qu'elle voulait emporter par piles, les bijoux avec les bijoux entremêlés comme de grandes araignées métalliques aux yeux de pierres semi-précieuses, les éléments de lingerie noués ensemble par le désordre comme ces échelles de prisonniers fabriquées avec des fragments de literie qu'on conserve au musée de la Préfecture de police, les foulards, les châles, les filets, les mantilles et les écharpes formant une sorte de toile à parachute ou à ballon stratosphérique dégonflé jaillissaient en magma d'une nacelle d'osier, une vieille malle. Quant aux chaussures, achetées par centaines aux Emmaüs et dans les brocantes, elles formaient un empilement sinistre qui évoquait la morgue ou la déportation. Restaient les livres dont les piles s'écroulaient, mélangeant des illustrés pour enfants, les manuels de langue, les ouvrages sérieux chipés à ma bibliothèque, un dictionnaire Littré en cinq tomes, un vieux bottin turc datant de l'époque où sa famille vivait à Salonique.

Inutile de vouloir lui faire entendre raison. À peine eut-elle soupçonné un léger désaveu dans mon tour d'horizon qu'elle commença à se justifier en m'expliquant, ce n'était pas la première fois, qu'elle avait l'habitude de procéder ainsi avant d'attaquer un tri progressif qui ramènerait les kilos de bagages à un volume acceptable pour Gudule. Je connaissais ce discours et je lui dis la seule chose à dire : « Mais bien sûr ma chérie, j'en suis certain. » Avec l'âge, j'avais pris l'habitude de ne jamais contrarier les femmes et encore moins les jeunes, surtout si comme elle, elles avaient eu affaire à des parents dont le joug, quoique très léger, s'exprimait par des soupirs ou d'infimes marques de réprobation. Vu que je remplaçais directement la mère et le père et qu'elle n'avait connu jusqu'ici dans l'existence presque aucun autre rapport de force, si ce n'est une sorte de rabrouement fraternel aussi violent que stérile avec son musicien – j'étais bien placé pour le savoir puisque j'avais assisté en témoin bienveillant (pour elle) à leurs petites disputes durant la période, deux ans quand même, où j'incarnais, sans trop forcer mon talent, les beaux-pères galants et complices –, maintenant donc que, depuis la catastrophe, j'incarnais vraiment un substitut parental, je payais dès que je montrais la moindre irritation le cumul de toute une lignée de fantômes levantins aux lamentations pour elle insupportables ; pas d'autre choix que de prendre le parti de taire mes doutes et de l'accompagner, sinon de l'encourager, dans l'exercice, la jouissance et l'angoisse de ses troubles obsessionnels compulsifs.

Où était le Xanax ? En bonne mère, je jouai les Hercule Poirot et mêlant discrètes farfouilles et œil perçant je découvris la plaquette de petits cachets roses, plaisamment cachée comme pour nous faire une farce, sous la voilette d'un bibi noir près d'un volume dépareillé de l'*Histoire des Girondins* de Lamartine. Évidemment, je ne posai aucune question sur la présence d'un volume de l'*Histoire des Girondins*, ouvrage auquel, entre parenthèses, la postérité ne rend pas assez hommage car je suis d'accord avec Paul Morand pour penser que cette prose est bien meilleure que les vers trop connus des *Lamentations*, dans des bagages destinés à nous accompagner dans un périple espagnol sur les traces des Rolling Stones. Je doutais intérieurement que Brian Jones ait jamais entendu parler des Girondins ou de Lamartine. J'allai trébucher sur mon livre en même temps que je glissais sur un foulard, l'heure n'était pas à se casser le col du fémur ni à critiquer une jeune fille dont les yeux étaient prompts à se remplir de larmes au moindre prétexte dans ces moments de préparatifs, un stress majeur pour elle – et puis je me rappelai que nous allions passer par Bordeaux, j'avais décidé de faire l'impasse sur Albi et le Tarn, pressé de retrouver les autoroutes espagnoles où l'on peut boire de la bière pression et manger de bons sandwichs.

Quand je retrouvai Brian Jones, j'avais perdu le fil de ma pensée. J'essayai en vain de me mettre à sa place. La fatigue de l'âge n'a rien à voir avec l'épuisement précoce qui touchait un être appelé à vivre aussi peu de temps. Il se débattait alors que je courbais l'échine. Je croyais me souvenir, mais il me faudrait vérifier dans ma documentation, que Brian était le genre d'anxieux à consulter les médecins en permanence. Cela agaçait ses proches qui avaient perdu toute empathie pour lui. Un ancien militaire qui le connaissait à peine, son chauffeur en l'occurrence, un employé, était plus facile à convaincre. Une fois rhabillé, Tom avait dû s'échiner à expliquer au type de l'hôtel que son patron, cette petite chose vêtue de dentelles et fourrures puant le bouc et le patchouli, avait besoin de consulter le médecin du patelin. La toux horrible de Brian lui facilitait la tâche. Pendant que l'hôtelier appelait le docteur avec le genre de téléphone mural qu'on voit dans les films français des années 1950, une belle pièce de bakélite noire, dont le combiné était relié au boîtier par un fil noir tirebouchonné comme une queue de cochon – peut-être un vrai cochon se trouvait-il dans une porcherie proche des anciennes écuries où était garée la Bentley, ce qui permettrait d'amener en mineur dans ma nouvelle comme dans une symphonie le thème du cochon associé à la mort : Porcinet au bord de la piscine fatale, Porcinet dont Ségolène venait de m'envoyer par WhatsApp une assez correcte effigie à laquelle s'enlaçait pour rire le faux Brian Jones, preuve que le gamin avait réapparu sur le tournage –, pendant que le patron téléphonait au docteur, échangeant avec lui de son bel accent rocailleux du Sud-Ouest des informations sur cet étrange client, la petite chose toussotante qui venait s'écrouler sur le canapé de skaï du hall et de s'emparer d'un indicateur des chemins de fer, Tom en profiterait pour faire un brin de toilette dans la salle d'eau, habituellement utilisée par les routiers de passage, dont les clés étaient suspendues à un crochet fixé sous une tablette de bois supportant plusieurs objets publicitaires, dont une plaque émaillée aux couleurs du célèbre bouillon Kub de Maggi.

La fascination de Brian Jones pour les indicateurs de chemins de fer faisait partie des informations que j'avais notées sur sa fiche, alors que bizarrement j'avais oublié de mentionner son hypocondrie. L'aspect schizoïde de sa personnalité m'avait plus intéressé semble-t-il qu'une névrose plus banale. Quelle consolation trouve ce genre de personnalité à consulter les colonnes de chiffres et les matricules des locomotives ? L'oubli du monde extérieur. Les voix s'éteignent, la luminosité blessante s'abaisse, protégé derrière les verres bleutés de ses lunettes de soudeur, l'écorché vif secoué par les spasmes et glacé par la fièvre oublie ses souffrances. Il cesse de geindre et de réclamer Anita Pallenberg comme il réclamerait sa mère pour mieux la frapper et lui cracher au visage. À quelques heures de la séparation qu'il redoute et qu'il provoque d'autant plus qu'il la redoute, il marmonne pour lui-même les heures de passages en gare de Pézenas de quelque tortillard obscur dont il mémorise instinctivement toutes les données. Cela, le cinéma ne sait le rendre. La littérature peut-être, encore fallait-il que j'allasse chercher en moi-même le souvenir d'un état comparable qui me permettrait d'étalonner les sursauts internes, les décharges provoquées par la lutte entre la peur de l'abandon, l'engluement dans une relation violente avec une femme et l'exercice solitaire et maniaque d'une passion fixe.

Évidemment, c'était dans ces moments-là que remontaient en moi les souvenirs volontairement enfouis de la catastrophe qui avait précédé ou plutôt accompagné la naissance de mon amour pour Esther. La scène finale avec Cora, sa mère, avait été si violente que je n'arrivais même pas à y penser, à concentrer un instant mon attention sur elle, alors qu'elle continuait son œuvre de destruction à l'intérieur de moi, et aussi bien sûr à l'intérieur d'Esther. Tout ce sang coulé nous empoisonnait. En réfléchissant à Brian qui hurlait après Anita nuit après nuit, la frappant, se brisant les os à la frapper, se brisant la voix, usant toute sa volonté à détruire ce qu'il aimait, je ne pouvais pas ne pas penser à ma femme, à cette furie que ma femme avait été durant les dernières heures que nous avions passées ensemble, dans le huis clos de cette maison, où le calme était retombé après sa chute. Un calme sinistre du genre de ceux qui suivent immédiatement un meurtre. Et le pire était qu'en même temps je pensais à Esther, au jour inévitable où Esther me quitterait, me laissant seul comme Brian dans les draps moites de l'hôpital d'Albi, puis de celui de Toulouse où il serait transféré l'après-midi où Anita sucerait la queue de Keith sur le siège arrière de la Bentley Blue Lena, sous l'œil indifférent ou voyeur, on ne sait jamais avec les Anglais, du chauffeur Tom Keylock.

— Ça va Mimi ?

Sans m'en rendre compte je m'étais mis à crier de douleur.

Esther était redescendue, elle me regardait d'un œil noir. Elle n'avait pas l'air inquiète, contrairement à ce qu'elle m'affirma, mais courroucée. Tout signe de faiblesse ou de déséquilibre de ma part surtout à la veille d'un départ en voyage la mettait en colère. Intuitive comme toutes les hystériques, même si cette hystérie chez elle était rentrée, retenue, contrariée par un flegme d'autant plus glacial qu'elle était énervée, elle avait pressenti que je pensais à sa mère. Je lui expliquai avec un calme aussi grand que le sien, un calme presque menaçant, que je devais me mettre en condition pour évoquer le désordre intérieur et la violence de Brian Jones. Elle me répondit sur un petit ton autoritaire que je n'avais pas à la troubler pendant qu'elle « packait » ses bagages, qu'une tâche aussi délicate demandait beaucoup de concentration. Dans ces moments-là, sa folie m'apparaissait. Il fallait forcément qu'elle soit cinglée pour vivre avec moi, mais quand même, mettre sur le même plan une œuvre littéraire, certes encore trébuchante, mais quand même un peu œuvre, et la tâche médiocre qui l'accaparait, et je dirais même qu'elle l'accaparait un peu trop, d'une façon malsaine qui dénotait déjà un certain dérangement d'esprit, c'était quand même un peu fort. Comment cette oie osait-elle me faire les gros yeux, me reprocher à moi, de cette petite voix agacée où une pointe de vulgarité laissait voir un peu d'accent vaudois, comme ces anciennes prostituées rangées dans un intérieur bourgeois qui laissent soudain couler un mot ordurier trahissant ce qu'elles cherchent à cacher, me reprocher de faire du bruit, alors que je l'entendais piétiner au-dessus de ma tête pour se livrer à ses imbéciles petites manies, insoucieuse du monde extérieur, puisqu'elle portait en permanence ses écouteurs qui diffusaient des musiques atroces du genre Britney Spears ? Toutes ces pensées passaient-elles dans le regard que je posais sur elle sans mot dire ? Elle éclata en sanglots. Je me levai aussitôt et me précipitai vers elle pour la serrer dans mes bras. C'était une enfant, mon enfant, je ne pouvais pas supporter de la faire souffrir. Je n'avais jamais aimé aucune femme d'une manière telle que je me sentais nu sans aucune défense, prêt à mourir pour qu'elle cesse de pleurer et qu'elle m'embrasse. En la tenant contre moi, en embrassant ses larmes, je ne cessais de penser à Brian Jones. Comment prenait-il Anita dans ses bras après l'avoir frappée ? Comment hurla-t-il son nom « Anita ! », laissant retomber l'indicateur des chemins de fer, épouvanté de nouveau, seul, Tom le chauffeur mettant un peu trop de temps à se pomponner et le docteur Vichnou, drôle de nom pour un gars du Sud-Ouest, qui ne se pressait pas non plus, et la mort qui s'approchait et qui l'épouvantait comme un gamin seul la nuit, un personnage de Shakespeare, les enfants du roi Édouard dans ce tableau pompier qui se trouvait autrefois au Louvre. Pendant que j'embrassais Esther et que j'essayais de la consoler, reniflant sa crinière noire qui sentait si bon et qui me manquerait tant le jour où elle partirait, j'éprouvais la peur terrible de Brian et je savais maintenant comment j'allais la rendre, dans le cadre médiocre de ce petit hôtel de province, si différent du hall du George V où il se prélassait encore la veille, fixant par-dessus le bar la publicité émaillée pour le bouillon Kub et criant « Anita ! Anita ! » sans que jamais Anita arrive, longtemps, jusqu'à la réapparition dans une vapeur d'eau de toilette à bon marché, non d'Anita, ni de sa mère la déesse, mais de Tom accompagné d'un homme au teint sombre, semblable à un personnage maquillé d'une production exotique américaine, genre Ali Baba, le docteur Vichnou.

L'idée du médecin indien installé en pays cathare était une invention personnelle. D'où m'était-elle venue il y a cinq minutes ? Mystère. J'aimais l'effet de surprise et aussi le fait que cela cassait le vraisemblable, une des plus grandes faiblesses à mon sens du roman moderne. Élaborer une reconstitution minutieuse et la pimenter d'une fantaisie incongrue, un caprice d'ivrogne, lui donnait plus de vérité. Je retrouvais mes vieux réflexes d'illusionniste. Les

Indiens ont un air sérieux, une élégance classique, une gravité mâle qui contrastait admirablement avec le décousu, la déchéance, l'efféminatíon du petit guitariste pop dépassé par son succès, exposé à l'âge le plus dangereux aux risques de démence précoce. J'imaginai le docteur Vichnou, vêtu d'un costume beige ou bleu marine, examinant avec son stéthoscope le torse maigre de Brian dépouillé de ses dentelles et de ses fourrures. J'imaginai Brian, oubliant un instant les terreurs qui le poursuivaient, oubliant Anita, se confiant aux mains douces et fermes du docteur Vichnou. Il ne se sentait bien que quand il était dans les mains d'un médecin qui allait peut-être enfin soulager ses douleurs. La rage tombait, il se laissait manipuler comme un enfant sage. Je retrouvais là, à ce moment, en serrant ma jeune fille dans mes bras puis en la conduisant dans la chambre, montant marche après marche, le thème de l'innocence, le thème, au sens musical, de l'innocence, de l'éveil, d'une suspension merveilleuse de la réalité. L'innocence que j'avais commencé à perdre depuis longtemps, qui s'était tout à fait enfuie avec la pire action que j'avais commise de ma vie, qui était aussi la meilleure, qui m'avait donné ce bonheur inouï, insupportable, une torture puisque j'étais forcé de respirer, de contempler ce que je ne retrouverais jamais. Le sommeil et la vie s'étaient inversés, les forces négatives qui m'avaient terrifié toute ma jeunesse, m'empêchant de me laisser aller trop loin, qui m'accablaient dans la journée, étaient maintenant passées de l'autre côté, du côté de la nuit. Mes nuits étaient pleines d'effroi, de sueur, de cauchemars oubliés qui ne remontaient jamais à la surface, de réveils horribles, d'insomnies. Chaque jour, grâce à des rituels précis, j'arrivais peu à peu à guérir de mes nuits. De plus en plus difficilement, mais j'y arrivais encore, bientôt ça serait fini, mais je forçais si bien que je parvenais encore à trouver quelque ressort inconnu, muscle intellectuel dont j'ignorais l'existence et que seule la terreur avait su réveiller. Au contraire de Brian, le jeune homme, l'innocent, qui pouvait quelques secondes dans les mains du docteur Vichnou, au contact froid du stéthoscope, croire en la possibilité d'une guérison, cet idiot, ce naïf, ce jeune homme, j'étais totalement conscient de l'inutilité de tous mes efforts, je savais aussi que personne ne me viendrait en aide. Ma seule consolation était d'essayer de rendre Esther heureuse et belle durant les quelques mois ou les quelques semaines qui nous restaient. Je savais maintenant un secret autour duquel j'avais tourné toute ma vie, il avait fallu un crime pour me le dévoiler : la beauté était tout pour moi. Supérieure au bien, supérieure à la vie, supérieure à mon bonheur. La contemplation du visage d'Esther, là maintenant, posé sur l'oreiller me regardant avec une confiance retrouvée, souriante, de ce sourire qui ne dure pas, qui passe comme les vagues de la mer, ce droit à la regarder je l'avais acheté du prix de mon âme. Je la possédais, et même si cette possession comme toutes les possessions n'était que provisoire, je l'avais, elle était à moi ici et maintenant, plus rare et plus précieuse qu'une œuvre d'art, la beauté du diable, elle était à moi. Voilà ce que Brian, l'innocent, n'avait pas su. Il était mort trop jeune, et pourtant il était mort de ne pas le savoir. En perdant Anita Pallenberg, ce matin frileux d'un printemps français des années 1960, en se laissant enfermer dans l'ambulance qui le conduisait à l'hôpital d'Albi, il avait laissé fuir à jamais son bien le plus précieux. L'intuition l'avait sûrement traversé, il avait confié le soin à Deborah Dixon de surveiller Anita, mais c'était une précaution vaine, car Deborah, effrayée par une arrestation de la police franquiste dans le Barrio Chino de Barcelone, repartirait à Paris en avion le lendemain, laissant Blue Lena et les amants maudits filer vers le sud.

« Penser à racheter *La Marge* de Mandiargues. »

Je lâchai Esther un instant pour aller noter cela dans mon carnet. Lorsque je m'apprête à travailler sur un motif, ici le Barcelone de 1967, je cherche l'inspiration non dans le site lui-même, toujours dénaturé, mais dans un livre ou un film qui l'a évoqué avant moi. *La Marge* est un bon document, une vision puissante du quartier rouge de Barcelone dont il ne reste rien. En plus, j'avais mes souvenirs d'une époque ultérieure, vers 1975, mais où les choses étaient encore en place. Pour décrire l'avancée du capot de Blue Lena, orné du fanion de l'État du Vatican dans les ruelles sordides et les placettes borgnes du Barrio Chino, je n'avais surtout pas l'envie de repasser par Barcelone.

Esther me demanda ce que je notais dans mon carnet. Je lui exposai succinctement l'argument du roman de Mandiargues, sorti en 1967. Un homme croit deviner à la lecture d'un télégramme que la femme qu'il aime est morte. Il n'ouvre pas le pli jusqu'au bout et reste dans la suspension, dans une sorte de faille temporelle, à errer de bars en bordels dans la jungle extravagante du Barrio Chino. Je n'ai jamais fini le livre, laissant moi-même le roman suspendu, j'étais donc incapable de dire à Esther si la femme était morte ou non. L'idée lui plut. Elle me dit qu'elle aurait voulu l'appliquer à la vie, laisser les choses en suspens sans s'inquiéter d'une fin. J'y décelai la peur de la mort, elle en convint puis elle partit faire pipi.

Son téléphone tinta, j'y jetai un coup d'œil car elle attendait un message de Genève lui annonçant un transfert d'argent. Je lus un message laconique, « Tomorrow 5pm » signé « Brian Jones ». Je crus à une erreur, je relus une deuxième fois, la signature était bien « Brian Jones ». Esther revint des cabinets. Je la laissai s'approcher du lit, s'emparer du téléphone, lire et fermer le message sans mot dire. À une certaine tension de sa nuque, je devinai qu'elle se sentait observée et que mon regard l'agaçait. Elle sortit de la chambre sans se retourner, son téléphone à la main. Je l'entendis descendre l'escalier. Comment se trouvait-elle en contact avec ce petit voyou qui avait décroché le rôle de Brian dans la série ? Un vertige me prit et je m'assis sur le lit le cœur battant. J'essayai de réunir mes esprits. Je comprenais maintenant pourquoi elle avait insisté, sans toutefois me harceler car elle était maligne, pour que je lui décroche une figuration dans la série, prétextant qu'elle allait s'ennuyer en Espagne si elle n'avait rien à faire alors que je serais absorbé. J'avais cédé, transmettant quelques photos d'elle à la directrice de casting sans trop y croire. Depuis, je n'avais plus de nouvelles. Oubliant qu'elle pouvait se montrer secrète pour ne pas dire sournoise, contrarié par ses velléités de jouer les actrices, alors que sa mère en était une fort célèbre, j'avais enterré cette histoire. Je me rappelai soudain et je vérifiai aussitôt sur mes mails qu'il était question d'écrire une scène d'orgie avec Brian, Anita et une autre fille. Un de ces mannequins qu'Anita rabattait dans le lit conjugal. J'eus l'intuition lumineuse qu'Esther avait décroché ce petit rôle très dénudé. Elle adorait se mettre à poil devant les gens, et sa page Instagram était un véritable musée d'effigies érotiques. Sur sa story du jour, je découvris la bande des essais de Brian, une entorse grave aux clauses de confidentialité que mon agent m'avait fait signer.

Dès qu'elle revint dans la chambre je lui demandai de retirer cette vidéo immédiatement. Comme à chaque fois qu'elle était prise en faute elle s'emporta, affirmant à bon escient que j'étais jaloux. Sans m'énerver, je lui proposai de mon ton le plus calme de lui montrer la clause en question. Elle se mit à hurler qu'elle n'en pouvait plus de ma jalousie. Je restai impassible, ses colères d'enfant ne m'impressionnaient pas. Elle claqua la porta et dévala l'escalier en criant : « Où sont les clés du cadenas ? » Nous vivions claquemurés derrière une grosse chaîne cadenassée qui fermait le portail. Je m'avançai sur le palier du premier étage et lui dis que la clé devait se trouver à sa place habituelle, pendue à un crochet près de la porte d'entrée. D'une voix exaspérée mais plus douce, elle m'annonça qu'elle avait besoin de faire un tour dans le village. Quand j'entendis la porte se refermer et ses pas sur le gravier, j'étais une loque. Je dis à haute voix, m'adressant à moi-même : « Je suis fatigué. » J'avais tout de suite percé ses intentions. La crise de nerfs était une excuse pour partir téléphoner. Dans la même situation avec sa mère, pourtant si fidèle malgré sa folie, je me serais battu, je l'aurais poursuivie, l'empêchant de partir. Des années de disputes presque quotidiennes avec Cora m'avaient épuisé. Esther n'était pas du même bois que sa mère. Si on essayait de la contrarier, elle se murait dans un silence glacial. J'avais tout à perdre à me manifester ou à la suivre pour l'espionner. Pour le moment je m'en étais tenu à cette discipline, je me trouvais en position de force. Mais qu'est-ce qu'une position de force quand on ne joue pas, quand on est malade d'amour et qu'on sait que la partie est perdue ? Jouer, je l'avais fait cent fois avec cent autres femmes mais il avait fallu que je rencontre l'amour à l'âge de 70 ans. J'allai dans la salle de bains, cette salle de bains que j'avais fait aménager pour Cora à l'époque où je pensais finir mes jours avec elle. Il y avait encore ses nuisettes, ses babouches qui traînaient un peu partout. Je me regardai dans la glace au-dessus de la coiffeuse, la douleur interne s'était réveillée. Je savais maintenant ce que cela signifiait d'avoir le cœur brisé. Tout le mal fait à ma femme s'ajoutait à la souffrance que me causait Esther, cette souffrance que je prévoyais depuis longtemps et qui venait de me tomber dessus. Je regardai la trousse rouge dans laquelle j'avais préparé des affaires de toilette pour le voyage de demain. Quel voyage ? Où aller ? Je me retins de pleurer. Je pensai en même temps comme chaque nuit à la douleur de ma femme, à ma trahison. Je n'aurais pas pu faire autrement. Tous mes actes avaient été dictés par la fatalité. La même fatalité qui maintenant allait pousser Esther dans les bras d'un jeune homme de son âge et puis de bien d'autres après celui-là. J'avais fait tant de mal, et à bien d'autres femmes avant celle dont le peignoir japonais apparaissait sous la serviette de bain, j'avais tant de cadavres dans le placard que je n'arrivais même plus à pleurer sur moi-même. J'étais sec. Comme un zombie, je descendis dans mon bureau et me remis à mon poste de travail, dans un petit recoin entre les piles de livres. Je relus ce que j'avais écrit sur l'hôtel du Tarn, sur Brian et sur le docteur Vichnou. Je fis quelques bonnes retouches, ça ne sonnait pas mal. J'attaquai la description du regard de Brian quand il attend seul dans l'entrée de l'hôtel. C'est Tom qui va le conduire à l'hôpital d'Albi. Un trajet d'une trentaine de kilomètres, comme Albi est au sud et que tout le monde est réveillé, ils ont décidé de l'accompagner en délégation. Keith vient d'arriver pour le lui annoncer, toujours laconique, une Winston au coin du bec. Il s'est assis en face de Brian, il a descendu sa guitare acoustique sans toutefois la sortir de sa boîte. Il joue à la faire tourner sur sa base comme une toupie, un tour à gauche, un tour à droite. Ses yeux sont baissés, sa clope pend. Il ne songe pas à l'allumer. Puis il regarde Brian, un regard de cowboy, et mime avec ses doigts le geste qu'ils ont cent fois échangé en répétition. Le petit mouvement de pouce qui signifie « t'as du feu ? ». Brian a les yeux pleins de larmes sous ses lunettes de soudeur, la fièvre, le désespoir, ou l'alcool. Les trois en même temps. C'est ce regard que j'essayais de peindre avec les mots justes, ceux qui sortent difficilement, les meilleurs, ils viennent simplement quand on a tout épuisé, que l'homme qui écrit a tombé tous les masques, quand il se sent sur le fil du rasoir.

Au moment où j'allais les poser, j'entendis la porte s'ouvrir. Je fis un dernier effort surhumain pour décrire ces yeux-là, ce regard de Brian quand il lance son briquet à Keith, ce geste qu'ils ont fait des milliers de fois depuis qu'ils sont copains, quand je sentis les mains d'Esther se poser doucement sur mes épaules. J'attendis d'avoir tapé le dernier mot pour me retourner. « Pardon », dit-elle comme elle seule savait le faire. Je n'avais jamais rencontré une femme qui sache présenter des excuses aussi simplement. Peut-être parce qu'elle n'était pas une femme, parce qu'elle était demeurée dans cette région de l'enfance où certaines petites filles ont la droiture simple des garçons. Je me levai et la serrai dans mes bras. Nous ne parlâmes pas de ce qui s'était passé. Elle avait compris que j'avais compris ou alors peut-être ne l'avait-elle pas compris ou alors n'y avait-il rien à comprendre mais je ne voulais pas le savoir. La scène que je venais d'écrire, les larmes de Brian et le silence de Keith, était une bonne scène, je le savais puisqu'elle influençait ma vie. Les bonnes pages m'apportent une solution, une direction. Il fallait se taire, il convenait de se taire ici à Sainte-Croix avant le grand voyage, comme en 1967 dans l'entrée de l'hôtel du Tarn.

N'y avait-il rien à comprendre ? L'espoir est une chose bien cruelle. Dans les tortures permanentes que m'infligeait la vie aux côtés de cette enfant, elle dormait maintenant près de moi, son foulard de soie noué sur les yeux, l'espoir qui joue à reconstruire une réalité à notre goût, bricolage auquel on veut croire comme le peintre croit rattraper un tableau fichu, que sa maladresse a gâché, avant de se rendre compte en hurlant qu'il barbouille en vain, l'espoir tentait d'effacer la laideur de ce qui s'était passé. Non pas le message en soi, mais tout ce que le message signifiait, pour peu que je tire un peu le fil. Afin de m'assoupir une première fois, j'avais bu trois verres de whisky qui, ajoutés à la qualité de ce que j'avais écrit, m'avaient rendu euphorique. Je m'étais dit que tout cela n'était rien, qu'Esther m'était bien trop attachée pour aller se perdre ailleurs, je l'entendais se livrer dans la salle de bains à je ne sais quelle mystérieuse cérémonie et je voyais de temps en temps sa grande ombre se dessiner sur la porte ouverte de la chambre. La lente préparation qui annonçait son coucher, dont je n'aurais pour rien au monde voulu percer les secrets, lui gardant religieusement cette part de mystère que l'intimité entre homme et femme doit savoir préserver, et que l'ondulation de son ombre sur la porte me faisait apparaître comme une danse rituelle, dans cette atmosphère je m'étais paisiblement endormi, enfant laissant sa mère le quitter, sans plus l'appeler, mourant qui remonte ses draps. Un peu plus tard, il devait être deux heures du matin, je m'étais réveillé, horriblement mouillé, en fièvre. À l'instant où ma conscience émergeait de l'abîme nocturne, tout m'était revenu, le message de Brian Jones, le départ d'Esther, son évasion sur la place du village, tout ce parfum de trahison. J'avais trop vécu, trop d'années, trop de tromperies pour me laisser une seconde l'illusion d'une erreur. Je savais. Et je sentais un poids, un animal, une main, la main d'une présence hostile, un bourreau qui appuyait sur mon ventre pour en faire sortir quelque chose, écraser mes organes. Je souhaitais que ce fût enfin le symptôme d'une maladie grave, j'aurais préféré mourir que d'affronter les jours et les nuits qui m'attendaient. Comment pourrais-je conduire une voiture ou même charger les bagages dans le coffre avec cette douleur-là ? Esther dormait sans rien savoir, elle ne devait d'ailleurs rien savoir, je ne voulais surtout pas qu'elle sache, la préserver pour moi-même, me préserver, moi « capitaine », comme elle m'appelait, je me devais de faire bonne figure et plus que jamais maintenant, d'incarner cette présence rassurante, cette solidité qu'aucun gamin de son âge ne pourrait lui offrir, certes j'étais fou mais je tenais toujours le gouvernail. Il fallait encore une fois vaincre cette tempête nocturne, un art où j'étais passé maître.

Je me levai silencieusement pour ne pas la réveiller et je me dirigeai à tâtons vers les toilettes.

Je sentais la sueur couler dans mon dos. L'envie d'uriner était si forte que je ne pus m'empêcher de lâcher un jet de pisse avant d'avoir pu atteindre la cuvette. J'avais dû mouiller le siège car je sentais de l'eau sous moi, ou alors était-ce la sueur qui continuait de dégouliner, me chatouillant le dos comme des insectes ? Jadis, lorsque j'avais 30 ans, je n'aurais jamais imaginé que je me lèverais ainsi toutes les nuits pour pisser ou déféquer seul dans l'obscurité, transi d'angoisse, lourd de graisse et d'années. Je ressentais une joie sinistre à me sentir couler en même temps que les matières immondes dans la vieillesse. Je pensai à la jeune fille qui dormait près de moi comme l'ogre pense à la chair fraîche. Je n'étais pas excité physiquement, mon sexe petite chose sentant l'urine n'avait rien à voir avec le cep de vigne noueux, long et dur comme un manche de tire-bouchon que j'avais introduit tout à l'heure dans la vulve fraîche de la jeune fille, j'étais excité mentalement, irrité plutôt comme mon estomac par l'alcool. Je faisais claquer mon dentier dans ma bouche, je n'entendais pas les claquements à cause de mes boules Quies, et je doutais d'ailleurs qu'on puisse les entendre, moins en tout cas que les pets sonores musicaux, des sifflements plutôt que des pets, qu'avec l'âge la nature m'avait donnés comme un don nouveau, les sonnettes du crotale, ou le chuintement de certains insectes particulièrement gros, le gémissement d'un petit animal écrasé dans mon cul. Pauvre jeune fille, elle était dans de bien sales draps quand l'être nocturne que je devenais après deux ou trois heures de mauvais sommeil se réveillait et levait sa lourde masse pour aller se livrer à ses immuables saloperies. Le rituel du réveil du pipi, depuis peu du caca, bientôt peut-être du vomi ou des jets de sang noirâtre, la danse nocturne du cyclope venait en contrepoint des douces pensées un peu ivres, comme par exemple « la rendre heureuse » que j'avais dans la journée et encore quelques heures plus tôt malgré Brian Jones. Qui étais-je ? Le méchant qui se réveillait la nuit, seul comme Néron avec son petit manteau dans les fourrés le dernier jour de sa vie, ou le gentil, le saint, celui qui voulait le bonheur d'Esther et qui était prêt à la laisser partir avec un autre pour qu'elle soit heureuse ?

Lorsque je sortis des toilettes, je ruisselais toujours et le froid de la nuit transforma ce manteau de sueur en un suaire glacé. Qu'étais-je devenu en si peu d'années ? Chaque nuit vers quatre heures du matin je retrouvais cette loque que j'étais à l'époque de mes pires redescentes de drogue. Je ne me droguais plus mais je souffrais des mêmes faiblesses qu'aux jours de ma toxicomanie. Était-ce une punition que mon corps m'imposait, la note à payer de toutes ces années ? L'autre possibilité était que je me punissais du bonheur que j'avais à vivre auprès d'Esther et du prix que ce bonheur m'avait coûté. La mauvaise conscience d'avoir agi comme un salaud envers ma femme me tourmentait comme jamais à ces heures de la nuit. J'allai dans la salle de bains me servir un verre d'eau. La lumière m'éblouit, et en même temps elle me rendit un peu moins triste. Tenir bon, ça je savais que j'y arriverais encore, ma volonté n'était pas entamée même si mon corps me lâchait petit à petit. La grandeur de certains personnages des romans que j'avais lus enfant ou que je n'avais pas vraiment lus mais effleurés comme ceux de Conrad, venait à la lumière du plafonnier me soutenir physiquement, j'avais l'impression que leurs mains puissantes me prenaient sous les aisselles pour m'empêcher de tomber. Tant que je n'avais pas eu de crime sur la conscience, puceau de crime, durant cette jeunesse qui était allée bien au-delà de la soixantaine, je ne les avais pas compris, ils étaient loin de moi, des fictions, des rêveries créées par un autre et qui m'étaient étrangères. La part de noirceur d'un homme qui se réveille au cœur des ténèbres, sentant sa conscience malade dans son ventre, comme un cancer, m'avait ouvert une porte. Cette porte que j'aurais pu laisser fermée, que j'aurais voulu n'avoir jamais ouverte, j'étais au fond assez fier de l'avoir forcée tant l'orgueil humain aime sa propre démesure. J'avais survécu à cela, c'était comme si j'avais étranglé ma femme de mes mains et que malgré tout je sois encore debout, ventru comme un phoque, à me recoiffer dans la glace. Je savais maintenant qu'on continue à se recoiffer dans la glace quand on a tué quelqu'un. Comment peut-il encore se regarder en face ? Voilà ce qu'on disait de moi. Eh bien oui je me regardais dans la glace et je me reconnaissais, c'était bien moi. L'atroce petit garçon si gentil dont j'avais retrouvé des photos, le communiant avec son cierge dont j'avais montré une photo à Esther pour rire, photo qu'elle avait laissée traîner comme tout le reste parmi ses lingettes démaquillantes souillées et ses colifichets sur la tablette de toilette, le petit garçon c'était bien moi. J'oscillais sur mes gros pieds secs, pleins de peaux mortes et de crevasses, dont certains ongles semblaient morts, avec ma panse bourrelée de seins posée sur des cuisses aussi fines et galbées qu'à 20 ans, je me regardais avec l'attention d'un peintre pour son modèle. Voici l'homme, le condamné à mort qui arrivait encore à tenir à distance ses bourreaux par la seule force de sa vitalité orgueilleuse. Brian Jones, le vrai, pas le minet qui allait essayer de me piquer la petite, le vrai qui avait pourri quelque part en Angleterre à partir de juillet 1969, lui n'avait pas connu cela. Cinquante-deux ans plus tard j'étais debout et lui non. Combien d'autres avaient péri avant moi, des bien plus gentils, plus sûrs, plus fidèles que cette salope que je regardais dans la glace et à qui je souriais maintenant, montrant la griffe de mon râtelier, petit clin d'œil métallique à tous les morts, tous les perdants. Eh oui mon cher, je tenais bon et je n'étais même pas sûr de perdre encore cette fois-ci. J'allais conduire à 200 à l'heure sur les autoroutes espagnoles et j'allais survivre. Je savais que le petit voyou qui m'attendait là-bas ne m'aurait pas, j'allais le laisser venir et je l'épuiserais comme les autres. Je trouverais une phase, j'avais plus d'un tour dans mon sac. La fille était à moi, dans ma pogne, je l'avais payée cher, de la vie d'une femme, et je ne la lâcherais pas.

Esther nourrissait une passion pour les aires d'autoroute. Le premier péage à peine franchi, commença un pèlerinage où toutes les stations ou presque avaient droit à leurs rites particuliers. Achats de journaux, de livres, de gadgets, de victuailles, dont elle se chargeait chaque fois un peu plus. Ce fut au troisième ou quatrième arrêt, vers Albi, que j'appris en consultant mon téléphone la mort de Charlie Watts. Le second membre des Rolling Stones à rendre l'âme après Brian Jones. L'époque n'était plus la même. Mick Jagger avait sobrement posté sur Instagram une photo récente de son batteur sans y apporter de commentaire. Je ne ressentais aucune émotion. Le monde des « Majestés Sataniques » était éteint depuis longtemps. L'adieu aux Rolling Stones avait eu lieu à la fin des années 1970. Ce type en photo, souriant à sa batterie, aurait pu être n'importe quel jazzman, je m'en fichais complètement. Aucun des membres de l'équipe du film ne m'envoya de message. Seul

Brian Jones posta une vieille photo légendée d'un commentaire lyrique, plein de fautes d'orthographe. Charlie Watts, un des meilleurs musiciens du groupe à en croire les journalistes, n'avait jamais joué dans la seconde dimension, celle du mythe. Le mode de vie d'abord incarné, inventé plutôt par Brian. Le terme d'« invention », au sens chrétien, désignait une statue païenne d'Isis ou de Déméter retrouvée par hasard en labourant un champ et que le clergé, conscient de la puissante charge de l'objet, rebaptisait en Vierge ou en sainte – ce terme d'invention, disais-je à Esther, convenait bien à Brian. Réincarnation du vieux mythe d'Orphée, dans la peau d'un Anglais malingre mal grandi dans les sinistres banlieues londoniennes du Blitz et de l'après-guerre. Je disais « Brian » sans préciser s'il s'agissait du mien, de celui que je recréais dans ce texte auquel j'avais retravaillé le matin à l'aube, ou de « notre » Brian, le petit jeune homme que nous partions retrouver de concert mais peut-être pas pour les mêmes motifs.

Conduire – surtout très vite – m'inspirait, comme si la vitesse avait à voir avec le souffle divin nécessaire à la poésie. Je parlais, je parlais et je sentais Esther près de moi attentive, plus attentive peut-être encore qu'à l'ordinaire. L'attirance que j'avais démêlée en elle pour ce garçon était un puissant moteur de création. J'avais toujours mis mes souffrances au service de mon éloquence. En lui parlant de Brian, je jouais un jeu dangereux et des plus excitant.

Puis le silence s'installa.

De temps en temps, je détournais la tête vers ma droite pour la regarder. Elle était accaparée par son téléphone, le carnet de moleskine rouge dans lequel elle écrivait son journal ou par un des livres qu'elle avait disposés un peu partout à ses pieds parmi les foulards, les sacs et les victuailles. Dès qu'elle se posait quelque part, que ce soit dans une pièce de Sainte-Croix, une chambre d'hôtel, une table de café, un siège de train ou de voiture, elle recréait une accumulation rituelle qui faisait d'elle une sorte de bouddha maigre entouré d'offrandes et de présents. Ce manège singulier, une dispersion de soi qui était aussi un élargissement, s'apparentait au goût qui était le sien de s'envelopper le corps et le visage de foulards, de rubans de couleur, de chaînettes d'or ou d'argent aux chevilles, de pendants d'oreilles et de tout un parement compliqué de nœuds et de colifichets. Je ne l'avais jamais possédée tout à fait nue et même dans le lit, explorant son corps, je découvrais toujours un ruban prélevé à un paquet de pâtisseries, une petite médaille inconnue, une chaînette oubliée, un ex-voto pendu sous l'aine, quelque chose. Je n'avais jamais rencontré pareil fétichisme. Parfois entre deux stations, pour être plus à son aise, elle s'asseyait à l'arrière, laissant les reliefs de son passage à mes côtés, et reconstruisait un nouvel autel aussi chamarré de bimbeloteries et de menues libations dans l'autre partie de la chapelle qu'était devenue Gudule.

Gudule la Grise, qui suivait sans trop de minutie la route empruntée par Lena la Bleue, cinquante-quatre ans plus tôt. Lorsque je surveillais Esther dans le rétroviseur, je captais des éclats de ce matin de printemps où dans une autre niche plus luxueuse mais non moins chamarrée se tenait, offerte à l'adoration, un autre avatar des vieilles déesses de l'amour, Anita Pallenberg en ses coussins afghans, ses foulards imprimés à l'indienne et sa maroquinerie de bazar. Le goût hippie pour l'accumulation d'accessoires procédait d'un retour du paganisme et des cultes orientaux. Brian manquait maintenant dans la voiture, comme un dieu mort, une de ces idoles déchues que j'avais aperçue lors de mon dernier voyage en Inde dans un caniveau de Calcutta près du temple de Kali la Noire et que je n'avais osé ramasser.

Une odeur étrange, entre l'encens et le soufre, montait de l'autel arrière alors que je parlais à Esther de ce souvenir remonté de nulle part, cette idole, ce débris de divinité tombé au caniveau parmi les fleurs mortes et les chiffons merdeux dans le recoin verdâtre d'une ruelle. L'odeur émanait d'une cigarette électronique qu'elle consumait en silence. Un silence plein de mystère, un silence religieux.

Avec la fumée d'Esther, j'inspirais l'air de ce moment suspendu, l'instant qui ne revient jamais où l'Amour est là, tacite, près de s'envoler et pourtant là, peut-être plus que jamais. En me rendant triste, la vieillesse me rendait gourmand et plus sensible que jamais aux minutes heureuses. Dans ce sens j'avais su mûrir. Processus qui ne s'arrête jamais et que les changements, les séparations accélèrent. Au moment de fermer la maison de Sainte-Croix, à l'aube, dans la lumière de l'été finissant, j'avais déambulé de pièce en pièce, les regardant pour la dernière fois. J'avais l'impression d'être un fantôme qui revient hanter les lieux où il a vécu, non pas lui-même, l'ombre qu'il est devenu mais l'homme qu'il a été. Ce stylo-bille d'hôtel, posé en travers du bureau, un livre ouvert qu'un autre refermera, sans regarder la page dont la joue effleurait le bois et qui signifiait peut-être beaucoup dans l'esprit du mort qui l'avait laissé là sans savoir qu'il ne le lirait plus, ne toucherait plus jamais le papier imprimé, ce passage, par exemple, où Yvonne rentre dans la cantina avec sa valise pour la première fois, ce long acte final d'*Under the Volcano* que j'avais lu à Esther le dernier soir, cérémonie funèbre qui ressemblait à ma vie, je le savais depuis l'âge de 30 ans, et qui me construisait, m'aidant à construire mon propre livre – retrouvé quelques jours plus tôt – quand je préparais la dernière journée d'Anita et de Brian, à Marrakech, chez les Getty ou bien à l'hôtel, je ne sais plus, la veille du jour où Anita serait partie, comme Yvonne, comme Albertine, comme Esther.

Cette scène, la cérémonie des adieux, scène que tous les hommes ont connue autant qu'ils ont aimé, souffert et fait souffrir ceux qu'ils aimaient, et que l'auteur ivre fait défiler à l'envers dans ces retrouvailles funèbres où chacun sait que l'autre, celui qu'il aimait tant, ne sera plus là demain, et qui rejoue dans le miroir, la première fois, le premier regard, le premier amour, cette apparition « en smoking pas tellement chiffonné » qui m'avait tant plu quand je l'avais lue à 30 ans, vers 1980, moment où les Rolling Stones n'étaient déjà plus qu'un souvenir, où le printemps doré de Marrakech s'était effacé depuis plus de deux lustres et demi, poussière au tombeau, ces mots je les avais relus, sans vraiment les reconnaître, sans y retrouver l'essence enfuie de la vérité, dans l'espoir d'animer mes caprices, cette Anita de papier, ce Brian ressuscité pour mon plaisir. Au moment où l'écriteau vert annonçant « Albi » disparut sur ma droite, au moment même où je respirai les fumées d'Esther-Isis-Vénus-Yvonne, Albertine ou qui vous plaira, en féerie, seul triste et transporté par la vitesse à plus de 170 à l'heure, je pensai à la photo de Cecil Beaton dont Keith Richards raconte assez finement dans ses Mémoires qu'elle a été prise, alors que torse nu, allongé sur la pierre chaude, ce même jour où Brian et Anita vivaient non loin dans l'ombre d'un palais ou d'une chambre mauresque leurs derniers moments, lui, tel un traître de mélodrame ou un héros de cape et d'épée, pensait à fuir avec Anita et la Bentley, au risque de détruire ce qui faisait sa vie, plus que l'amitié ou l'amour, la musique, ce qu'il avait construit, les Rolling Stones.

Ce second reniement de Brian, après Albi et avant la trahison finale de 1969, qui aurait pu signifier un adieu aux Rolling Stones, serait le passage central de mon livre, même s'il était situé vers la fin.

Je le voyais se construire dans mon esprit en même temps que je maîtrisais l'espace, évitant les voitures plus lentes, effleurant le cul des camions à 170-175-180 km/heure. Dans la caisse de livres que j'avais emportée, j'avais oublié deux ou trois ouvrages importants. Le journal intime de Cecil Beaton, qui couvrait ces années-là, devait être resté sur mon bureau. Non qu'il m'eût donné beaucoup de renseignements, mais un détail suffisait parfois à me faire partir. Je me souvenais qu'il adorait le torse de Keith. Marianne disait du mal de lui, sans doute parce que fasciné par Mick il l'avait snobée.

Keith dans ses Mémoires ne parlait, me semblait-il, qu'incidemment de Beaton, à propos de cette photo et de ses projets d'évasion avec Anita. Les gens de la production avaient insisté pour que j'écrive une scène avec Beaton. J'avais soigné les dialogues mais à mon avis la scène était ratée. L'acteur choisi pour jouer Beaton n'était même pas anglais, c'était un Français assez célèbre qu'on avait déjà vu incarner l'abbé Pierre ou le commandant Cousteau. Avec sa beauté classique et son maintien guindé, il risquait d'accentuer l'allure de majordome de son modèle ; Esther, à qui j'avais demandé de commander sur Amazon le livre oublié, éclata de rire. Je crus qu'elle riait à mon éternelle blague sur l'abbé Pierre et le goût enfantin du travestissement qui poussait certains comédiens à incarner n'importe quel rôle du moment qu'ils pouvaient poser avec l'habit, le bonnet rouge ou la robe de bure, mais non elle ne m'avait pas entendu, deux petits écouteurs blancs pointaient à ses oreilles, dénonçant qu'elle était au téléphone, en anglais, avec quelqu'un. Je fis un écart, elle sursauta et je vis en éclair ses yeux croiser et fuir les miens. Une pluie lourde, orageuse, commençait à tomber et je fus forcé de me concentrer sur la route, sans ralentir pour autant. Je craignais qu'elle n'attribue une baisse d'allure à la jalousie et au désir d'écouter ce qu'elle disait. À qui parlait-elle en anglais ? Mystère. Son boulot de mannequin lui avait ouvert toutes sortes de contacts internationaux. Bien sûr, je la soupçonnais d'être au téléphone avec Brian Jones mais j'étais désarmé. Si je me démasquais, elle allait s'emporter comme à chaque fois que je montrais un signe de jalousie. Rien ne me faisait plus souffrir que le ton exaspéré qu'elle prenait à ces moments. Je sentais que ses crises de colère puis les bouderies silencieuses qui suivaient étaient les répétitions, les bouts d'essai de ce qui finirait forcément un jour par arriver. La contrainte que j'imposais à mon élan naturel, respect de l'intimité qui devait plus à la peur qu'à une quelconque délicatesse, veulerie assez abjecte à mes yeux, alors qu'elle n'avait peut-être rien noté de mes états d'âme et que la comédie du vieux barbon jaloux restait à huis clos entre l'orgueilleux jeune beau que j'avais été et l'épave actuelle, l'un se moquant de l'autre avec la cruauté de la jeunesse, ce refoulement menaçait de s'aigrir de par la position que nous occupions réciproquement dans la voiture. En fait j'étais son chauffeur et son majordome, j'en vins même à penser qu'elle s'était installée à l'arrière pour mieux passer des coups de fil et préparer sa trahison.

— Mimi on peut s'arrêter ? J'ai envie de faire pipi !

Mes mains se serrèrent sur le volant et je grinçai d'une voix qui me semblait aussi fausse et mielleuse que celle d'une nurse excédée, obligée de satisfaire au moindre caprice de la petite princesse qu'elle accompagne sous peine d'être licenciée :

— Bien sûr mon ange, il y a une aire dans deux kilomètres...

— Je préfère une station-service, j'ai un peu faim.

Puis après un « sorry » brièvement chuchoté dans mon dos elle reprit sa conversation en anglais avec son mystérieux interlocuteur.

Aussitôt à la station, elle disparut. J'étais sûr qu'elle s'était écartée pour téléphoner plus à son aise. Ce qui ne signifiait pas forcément qu'elle me trompait, car elle n'appelait jamais son père devant moi, par une pudeur qui trahissait les sentiments qu'elle avait à mon égard. J'avais eu des aventures avec des femmes mariées qui, pareillement, s'isolaient pour appeler leur famille. Ce lien filial qu'elle entretenait avec moi me rassurait sur un point : même si elle m'était infidèle, elle aurait du mal à me quitter, surtout pour un jeune coq narcissique et radin qui n'hésiterait pas à lui faire payer son taxi ou la moitié de son repas au restaurant. Je la tenais par un lien souple mais solide, lui apportant ce que beaucoup de femmes cherchent durant toute leur vie : la sécurité, sans les défauts d'un homme trop concret, occupé à gagner sa vie et non à la jouer.

Je ne cherchai pas à la retrouver ni à la joindre, j'en profitai pour fouiller le carton de livres de la malle arrière. Je retrouvai dans les Mémoires de Keith Richards de bons détails sur la première nuit passée avec Anita. Ils avaient pris une chambre dans un hôtel à Valence sous le nom de « Count and Countess Zigenpuss ». Dans mon édition américaine, la page était marquée d'un sous-verre en carton rouge et blanc de la marque de bière « Jupiler ». Les noms enregistrés dans le registre de l'hôtel montraient que Keith ou Anita avait lu enfants la bande dessinée *Zig et Puce*. Je penchais pour que ce fût une idée d'Anita sans en être pourtant sûr. Élevée en Allemagne ou en France, je ne savais plus trop, elle avait pu avoir accès à ces lectures enfantines. Je retrouvai le synopsis de *Zig et Puce* sur Wikipédia. Je m'assis sur un banc de pique-nique pour le recopier sur le verso du sous-verre. « Zig et Puce cherchent par tous les moyens à atteindre l'Amérique pour y devenir millionnaires, mais leur voyage est souvent contrarié soit par manque d'argent soit par accident. Il s'ensuit qu'ils voyagent partout dans le monde en cherchant toujours à atteindre l'Amérique. C'est lors d'un de ces voyages, où ils se retrouvent au pôle Nord, qu'ils rencontrent Alfred, un pingouin qui les accompagnera ensuite dans leurs pérégrinations. »

Suivait une longue digression sur la morphologie du pingouin en question. Je commençais de synthétiser ces informations pour le plaisir quand mon téléphone sonna, c'était le plus jeune des deux producteurs de Viva Film. Il me croyait déjà en Espagne et s'étonna que je descendisse en voiture plutôt qu'en avion. Sa voix était teintée d'une délicate mais ferme réprobation. Était-ce l'inquiétude que suscitait en moi la conduite d'Esther, ce ton m'exaspéra. Je lui répondis que je les avais tenus au courant depuis longtemps de mes projets et que je commençais à en avoir marre de les voir s'immiscer dans mes affaires. Comme tous les manipulateurs, le petit perfide restait silencieux, me laissant m'emballer tout seul. Puis, d'une voix sérieuse il en vint à la raison pour laquelle il me téléphonait. Viva avait reçu un avis à tiers détenteur du fisc, prélevant une somme importante sur leur prochain versement. Je sentis mon cœur s'accélérer, depuis le temps que je faisais de la cavalerie, j'aurais dû prendre l'habitude de ce genre de mauvaise surprise – j'avais d'ailleurs anticipé, emportant avec moi un magot en liquide, une centaine de billets de cinquante euros serrés dans une vieille boîte VHS de *L'Exorciste* – mais j'eus très mal quand même. Une fois raccroché, je restai un moment hagard sur le banc de pique-nique à regarder une famille installée non loin. Ma solitude n'est jamais plus grande que lorsque je suis en proie à des angoisses d'argent. C'est dans ces moments que la contradiction entre le fatalisme, le prétendu désespoir (je vais bientôt mourir) et l'aiguillon de l'instinct de survie me dévoile les mensonges dans lesquels je me complais. Ces gens près de moi, de retour de congés, me semblaient aussi privilégiés que les bien portants qu'un malade aperçoit dans les couloirs du métro alors qu'il se rend à un rendez-vous au service cancérologie d'un hôpital, pour qu'un gamin aussi jeune que le producteur de Viva Film lui annonce de mauvais résultats d'analyse. C'était idiot, le type en survêtement sportif qui s'occupait de ses enfants et de son chien avait sûrement ses propres soucis matériels, peut-être plus lourds que les miens, au vu de son luxueux SUV sûrement acheté à crédit, mais rien n'y faisait, je le regardais avec envie. Machinalement je me mis à relire mes notes : les mots « pingouin » et « Alfred » me semblèrent totalement dépareillés. Qu'avait à faire le pingouin Alfred avec mon travail ? J'eus soudain la certitude que j'étais fou. Combien de temps allais-je donner le change ? Tout me semblait difficile et lorsque je pensai au Coréen et à l'équipe qui m'attendaient en Espagne, l'affolement monta, je caressai le projet de rester à jamais sur cette aire d'autoroute. Je me demandai si on pouvait vivre longtemps dans un parking sans faire l'objet d'un contrôle de routine ou d'une visite de la douane volante. L'idée des douaniers fit monter ma pression sanguine, s'ils saisissaient le magot dans la cassette de *L'Exorciste*, j'étais fichu. Ma carte de crédit n'allait pas tarder à être bloquée. Où était passée Esther ? Je regardai mon téléphone. Il y avait un message mais ce n'était pas elle. Une demi-heure au moins qu'elle avait disparu. Je me rappelai le film *Lolita*. Peut-être avait-elle rendez-vous sur cette aire avec quelqu'un ? En même temps, elle n'aurait pas laissé sa valise et tous ses sacs Carrefour Market remplis d'accessoires nécessaires au culte qu'elle avait d'elle-même. Quoique… Elle était capable d'accumuler ce genre de trésor en quelques jours, ailleurs avec un autre.

J'ouvris le coffre, je vis que sa grosse valise rouge était ouverte. Je fouillai dedans, elle ne semblait contenir que des foulards. Du matériel de prestidigitation. Où était passé le lapin ? Ma VHS de *L'Exorciste* que j'avais cru bon de lui confier, sous prétexte qu'elle détenait un passeport suisse ? Si elle avait filé avec le magot, il ne me restait plus qu'à me pendre quelque part. Dans l'arboretum voisin ou, plus discrètement, dans les toilettes handicapés qu'un employé était en train de nettoyer suivant les instructions du ministère de la Santé.

Seule présence charitable, ma grosse bouteille de Chivas Blue, dont je lampai aussi discrètement que possible trois gorgées. Je refermai le coffre, verrouillai la voiture et je me dirigeai vers la boutique de la station-service, augmentée d'un Burger King, d'une boulangerie Paul et d'un Carrefour Contact.

Était-ce l'effet du whisky ou de la marche, mon affolement s'atténua et une sorte de fatalisme concret s'empara de moi. J'étais sûr désormais de mon hypothèse, Esther s'était envolée et, au lieu de me pendre, j'allais devoir survivre. Les noms de deux ou trois amis à qui je pouvais emprunter de l'argent me vinrent à l'esprit. Il y en avait un qui devait séjourner en Espagne en ce moment, je lui avais parlé il n'y a pas longtemps au téléphone. Un producteur de musique, un copain de jeunesse qui possédait une superbe propriété du côté de Marbella. Un voyou qui, comme tous les voyous, savait ce qu'était la panade. Il pourrait sûrement me prêter dix ou quinze mille euros.

La station-service offrait plusieurs pôles d'attraction dont une boutique où j'entrai pour m'acheter une barre chocolatée. Un peu de sucre en plus du whisky me ferait du bien. Au moment où j'allais pousser la porte, j'aperçus dans une sorte de salle de relaxation qui tenait à la fois de la crèche et de la cafétéria de maison de retraite médicalisée, un étonnant trio composé d'une très vieille dame aux cheveux blonds frisés couleur mouton sale, d'une petite fille assez jolie en robe à smocks et d'Esther. La dame et la petite fille écoutaient Esther qui semblait leur enseigner quelque bonne parole, commentaire rabbinique d'un livre qu'elle tenait sur ses genoux, bien que le foulard qui entourait ses cheveux, sa blouse indienne et ses longs voiles lui donnassent une fois de plus l'allure d'une musulmane. Elle m'aperçut aussitôt et me fit un de ses jolis sourires, si purs qu'il fallait aussitôt abandonner toute colère. Esther, quoique timide, se montrait liante, surtout avec les personnes âgées et les enfants. Se sentant elle-même une enfant, elle était restée la petite fille qui pouvait attirer la sympathie des autres fillettes et des vieilles dames. Comme elle n'avait aucune notion du temps, ou alors une notion genevoise – les Suisses sont lents –, elle pouvait en toutes circonstances prendre un temps infini pour le consacrer à une nouvelle rencontre. Je saluai la vieille dame qui portait de curieuses chaussures d'homme sur deux pieds gigantesques, disproportionnés par rapport à deux petites jambes blanches, verruqueuses et tordues. Une grosse canne posée en travers de mon chemin m'indiquait qu'il s'agissait d'une infirme. En entendant son puissant accent vaudois, je commençai à démêler les motifs de ce rapprochement. À la différence des Français, haineux et farouches envers leurs compatriotes dès qu'ils sortent de leurs frontières, les Suisses aiment à se retrouver à l'étranger. La bonne dame – à vrai dire elle avait l'air d'un homme déguisé, un de ces escrocs qui s'habillent en femme ou en bonne sœur pour détrousser les naïfs

– et la petite (une naine ?) s'étaient acoquinées à ma compagne. Le livre qu'elles lisaient ensemble et qui m'avait semblé de loin une bande dessinée de la série « Les Lapins Crétins » était en réalité une méthode Assimil d'espagnol pour enfants. Les leçons étaient illustrées par des lapins. Tout à fait le genre de trouvaille d'Esther et dont elle faisait profiter ses nouvelles amies qui se rendaient de leur côté sur la Costa Brava. Tous ces renseignements me furent fournis en une seconde par une Esther un peu honteuse.

— Chérie, tu sais où est *L'Exorciste* ?

Le mot d'« exorciste » n'eut pas l'effet mérité sur la vieille sorcière qui dressa vers moi un museau épais. Elle ressemblait à un homme politique des années 1960, un Premier ministre de De Gaulle, Maurice Couve de Murville.

Esther me gratifia d'un sourire moins charmant, plus crispé, comme une maîtresse de maison d'autrefois recevant chaque mardi dans son salon quelques amies, et que son butor de mari vient interrompre avec une question brutale et déplacée.

— Je l'ai rangé dans mon grand sac jaune. Tu en as besoin tout de suite ?

C'est vrai que nous avions tout le temps. Voilà seulement trois quarts d'heure que j'attendais.

— Je croyais qu'il était dans la valise rouge.

— Je t'ai répété cent fois que je l'avais rangé dans le sac jaune ! Tu en as besoin tout de suite ?

Sous-entendant « tu es fauché à ce point-là ! ».

— Votre fille est bien gentille.

J'allais répondre que c'était parce que je lui donnais régulièrement le fouet quand j'aperçus les yeux bleus de la petite posés sur Esther. Par quel charme magique, digne du joueur de flûte, attirait-elle ainsi les enfants ?

— Margareth et Christine vont vivre un moment en Espagne, comme nous, et elles ne savent pas la langue. Tu crois que je peux leur offrir cette méthode ?

Cette générosité aurait pu passer pour du dérangement, mais je la comprenais. Elle me complétait merveilleusement ; mon égoïsme, mon avarice à vivre, ma crainte des autres, trouvaient leur antidote dans cette jeune fille, bouleversée à 16 ans par la lecture de *Nadja*. Qui d'autre aurait pu rencontrer des gens sur une aire d'autoroute et leur faire des cadeaux ? Il y avait de la sainteté là-dedans, une fraîcheur digne d'une autre époque.

Nous roulâmes encore longtemps après la frontière espagnole. À la nuit tombée, nous nous arrêtâmes pour dormir dans un bourg dont j'ai oublié le nom. Le village était construit autour d'une éminence couronnée par une vieille maison seigneuriale. C'était un hôtel ou plutôt comme on disait autrefois en Espagne, un « parador ». Esther avait appelé le propriétaire, le prévenant de notre arrivée tardive. J'avais garé la BMW dans une ruelle à l'abri d'un superbe spécimen de caoutchouc que j'avais d'abord pris pour un magnolia à cause de sa taille inhabituelle. Les voies trop étroites pour le passage d'une voiture étaient serrées entre les façades décrépites et bosselées par le temps et les écoulements verdâtres des gouttières. Certaines maisons semblaient abandonnées, d'autres se signalaient par une lanterne au verre jaune, un bruit de télévision, des cris d'enfant. La haute bâtisse gothique qui allait abriter notre sommeil se dressait au sommet du village. Au-dessus d'un mur cyclopéen, une longue galerie couverte dont la toiture était soutenue par des colonnes de pierre reliait deux tours carrées à peine percées de petites fenêtres ogivales.

La position dominante des murailles qui se dressaient sur le ciel, un long cyprès noir posé comme un cierge éteint près d'une petite porte basse faisaient ressembler l'édifice à l'île des Morts du tableau de Böcklin.

Esther m'avait précédé sans crainte de glisser sur les pierres polies de la calade, elle tenait ses espadrilles rouges à la main et me souriait, excitée à l'idée de découvrir le secret qui se cachait derrière les sombres moellons. L'enthousiasme de la jeunesse naît du noyau de mystère que la réalité lui réserve encore. Pour ma part, j'imaginais sans mal quelques chambres austères à haut plafond et poutres passées au brou de noix, mal agrémentées de sanitaires neufs et d'une literie ordinaire, draps trop courts fins comme des voiles d'hivernage, traversins de pierre où l'on se réveille les oreilles écrasées, odeur de désinfectant, lumières de garde à vue ou de liseuses qui font danser l'ombre du chasseur de moustiques sur un crépi de pizzeria.

Je me trompais. Derrière la petite porte de bois si étroite et lourde qu'il était difficile d'entrer avec une valise à l'intérieur, un carrelage ancien dessinait des arabesques de couleurs éteintes, jaunes, bleues et blanches semblables à un tapis de conte arabe qu'un magicien aurait fait s'élever vers les voûtes, imitant sous la lumière des lampes à huile la forme d'un escalier. Un parfum délicieux, dont les enveloppes de carton peint ornaient la vitrine d'un reliquaire, nous apprit que le commerce d'odeurs suaves fabriquées à partir d'essences naturelles, parfum, eau de parfum, bougies, encens ou savonnettes, était la seconde raison commerciale de l'hôtel. Chaque pièce que nous visitions, enfilade de corridors, petits salons mauresques perchés derrière des meurtrières comme des confessionnaux, semblait avoir été décorée par un nostalgique du Maroc des années 1960. La jeune Anglaise qui nous attendait derrière une table indienne en bois vermoulu éclairée par deux bougeoirs d'église nous accueillit de manière à la fois réservée et familière, comme des amis du patron venus fumer le kif sur la route non de Compostelle, mais de Katmandou. L'art de vivre de la jet-set aux pieds nus de jadis était devenu du « lifestyle », une vaste religion internationale, sorte de secte du cool, dont les gourous formés dans des écoles de commerce à tendance bouddhiste végétaliste préraphaélite tenaient boutique un peu partout dans le monde, dans des anciens temples, des harems désaffectés ou des palais biscornus, vendant leur bimbeloterie de bonne qualité à des prix confortables. L'appel mystique des années hippies avait mué comme tout le folklore rock en un marché du luxe des apparences, où le matelas qui se cachait sous le patchwork afghan ou le lin blanc ecclésiastique n'était plus ni planche à clous ni sac à puces mais un confortable king size digne des meilleurs palaces. Cela coûtait cher, je comprenais mieux le prix de la chambre qu'Esther m'avait annoncé, la seule encore disponible sur Booking, mais cela avait un certain charme. Après tout, les enragés du mauvais goût, les amateurs de literie grinçante, de bruit de tuyauterie et de serviettes naines sentant le moisi ou l'assouplissant, pouvaient encore se retourner vers Airbnb en cherchant bien, car là aussi la nouvelle idéologie faisait des ravages plus naïfs, donc moches.

Je ne voulais surtout pas gâcher la joie d'Esther, je gardais mes réflexions pour moi. Nul doute que la chambre occupée par le comte et la comtesse Zigenpuss à Valence en 1967 avait quelques points communs avec la nôtre. Connaissant Anita, elle avait dû rajouter quelques foulards sur les chevets du lit, accrocher au mur le caparaçon de bijoux orientaux qu'elle trimbalait sur elle comme une almée rêvée par Baudelaire ou Théophile Gautier, et en guise de bougie parfumée faire fondre au briquet un bout de shit afghan. J'oubliai les coussins, tachetés de fragments de miroir, qu'elle avait empruntés à Blue Lena pour la nuit.

Quand Esther eut allumé la bougie de chauffe-plat nichée dans un reliquaire doré, elle se déshabilla, ne gardant sur elle que ses chaînettes de pieds, une culotte un peu distendue qui révélait les zones sombres de son aine et le grand foulard doré trouvé dans un magasin qui vendait des exemplaires du Coran à Barbès-Rochechouart. Attaché autour de sa tête à la manière des femmes du Caire, les deux pans brodés de piécettes descendaient le long de ses seins. Elle me dit « baise-moi », mais je ne bougeai pas de la selle de chameau où j'avais trouvé un repos mérité après avoir monté quarante kilos de bagages dans notre nid d'aigle. La chambre était située dans une des tours de la maison seigneuriale, elle ouvrait sur la lune par de jolies fenêtres à meneaux. Pour la faire attendre, je n'aime pas me livrer sur commande, je lui parlai des supplices que Dante réserve aux simoniaques, « je te rappelle ma chérie que la simonie est le péché qui consiste à vendre des objets ecclésiastiques, comme par exemple ce reliquaire dans la monstration duquel tu viens d'allumer une bougie antimoustique, bougie qui paraît plutôt inefficace au vu des ombres dansantes que je devine au plafond ». Le supplice des simoniaques étant assez long à détailler, j'eus le temps de me lever, de me défaire de mon pantalon et de la posséder jusqu'à ce qu'elle prononce le verdict qui annonçait la fin de notre séance de ce soir, le « stop » qui signifiait qu'elle avait eu son plaisir ou qu'elle en avait marre et préférait dormir, se polir les ongles ou surfer sur Instagram.

Je dormis une heure ou deux d'un sommeil de chien puis je me réveillai. Les draps étaient trempés. Ma première réaction fut d'attribuer cette humidité froide aux suées nocturnes dont j'étais souvent l'objet depuis la catastrophe. Une odeur très légèrement aigre et la localisation du trouble, les draps étaient secs sur mon dos et mes épaules, me firent soupçonner qu'il ne s'agissait pas de sueur mais d'urine. Je murmurai : « Cette fois-ci je suis vraiment foutu. » Aux basses heures de la nuit, les imaginations les plus noires vont très vite. Le fait d'avoir quitté ma maison, de dormir dans un lit étranger trop confortable pour la mauvaise conscience qui me torturait, poussait mon malaise jusqu'à des extrémités inconnues. Dessaoulé, trempé de pisse, malade d'angoisse, taraudé par la douleur physique, je me tournai le plus doucement possible vers la jeune fille qui dormait près de moi. La lune éclairait son visage pur et paisible d'une beauté plus virginale qu'à l'accoutumée. La tête encore enturbannée dans le foulard rouge et blanc qui avait servi tout à l'heure à lui masquer les yeux, elle ressemblait à une peinture de La Tour. Je tâtai le drap pour vérifier s'il était resté sec de son côté. La largeur du lit l'avait préservée. Comment pouvait-on se sentir si mal et si triste en contemplant un pareil spectacle ? Le dessin formé par l'arc de ses sourcils, la coquille close et cireuse de ses paupières encore ombrées à l'orbe d'un peu de fard doré, la courbe noble de son nez, une bouche à la pulpe gonflée et d'un rose profond, non pas animal mais végétal, tout cela formait le plus beau spectacle qu'il m'eût jamais été donné de contempler la nuit sur un oreiller. Toute la délicatesse angélique dont elle faisait preuve la plupart du temps ressortait quand elle dormait. J'avais envie de hurler de terreur devant tant de grâce. C'était irrépressible, et l'étroitesse de notre intimité, augmentée par les petites promiscuités qu'impose le voyage, la porte des toilettes n'était pas très loin du lit, ajoutée à l'idée que nous allions devoir affronter ensemble une équipe de tournage, des inconnus, des séparations forcées, me rendait fou de frayeur.

À tâtons, avançant comme un assassin dans l'obscurité pour ne pas la réveiller et gâcher le nouveau tableau qu'elle m'offrait de loin sous le rayon de lune, j'allai chercher une énorme serviette de bain pour me préserver du drap humide. En me levant, en même temps que mes boules Quies, j'avais laissé tomber une partie de mes angoisses, seule la tristesse persistait. Il me faudrait écrire pour m'en débarrasser, mais je n'en avais pas le courage, écrire la nuit ne me réussissait plus. J'avais besoin de la lumière du matin, fût-elle la plus glauque, pour pouvoir accomplir ma tâche. L'électricité ne me donnait pas la lucidité nécessaire. Je décidai d'attendre l'aube. Peut-être pourrais-je m'avancer un peu en réfléchissant à l'état d'esprit qui devait être celui d'Anita Pallenberg au matin du premier jour sans Brian, quand elle s'éveilla dans les bras de Keith Richards. Comme beaucoup de gens qui osent faire le mal, Anita devait être en proie à la mauvaise conscience. L'amour, lorsqu'il naît au sein d'une trahison, n'a pas les mêmes forces et les mêmes faiblesses que celui né d'une rencontre hasardeuse. Il est à la fois plus solide dans la mesure où les amants ne se découvrent pas, ils sont habitués à vivre l'un près de l'autre – Keith vivait dans l'atelier d'Anita depuis quelque temps – et aussi parce que l'interdit transgressé garrotte les complices. S'il ne s'agit pas d'un écart unique, si le fantasme une fois traversé continue de charmer les amants, faisant céder la honte, la peur de blesser, bravant par avance la haine de celui qui est trahi et la réprobation de leur entourage, s'ils se sentent pris au point de ne pouvoir se défaire, au point que toute séparation, même d'une pièce à une autre, devient insupportable, cet amour né dans la rigueur perverse de l'immoralité a la dureté de certains matériaux que leur fragilité rend précieux. Lorsque le prix à payer pour être ensemble est un meurtre réel, les amants se savent tenus par un sortilège qui les condamne à ne pas se séparer. C'est de ce matin de printemps en Espagne qu'allait naître une alliance pour le meilleur, pour le pire et pour douze ans. En regardant le visage paisible d'Esther, cherchant à oublier dans cette contemplation la douleur même que cette contemplation faisait naître en moi, je me rappelai brusquement que c'était aujourd'hui l'anniversaire de la catastrophe.

Un violent spasme me força à m'allonger sur le dos. Il m'arrivait très rarement mais quand même plusieurs fois depuis de me demander ce qui se serait passé si je n'avais pas commis cet inceste.

Je pensais plutôt à Esther qu'à moi. Elle aurait dans l'avenir plus de risques de séquelles que moi, à mon âge la maladie, la mort ou le gâtisme rendaient l'idée même de traumatisme risible. Quand on en est arrivé à se pisser dessus, il est un peu tard pour s'inquiéter de sa santé mentale. Qu'allait devenir cette merveille le jour où le sortilège s'arrêterait ? Les larmes me montèrent aux yeux, c'était la pire torture que je puisse inventer. Je tournai délicatement la tête vers elle, laissant couler mes larmes sur l'oreiller. Elle n'avait pas bougé d'un cil, la lune éclairait toujours son visage paisible et ma douleur s'était approfondie, ce n'était pas un tableau ou une photographie que je contemplais, mais un être vivant que chaque seconde écoulée menaçait de salir. Le plus terrible, dans les amours entre un vieil homme et une jeune fille, ce n'est pas le vieillissement de l'homme, ce singe rusé menaçant ruine depuis des décennies, mais le flétrissement de la jeune fille.

Un ami à qui j'avais raconté mon projet d'écrire sur le reniement de Brian Jones, la trahison d'Anita Pallenberg et de Keith Richards, et deux ans plus tard la mort solitaire de Brian dans sa piscine, m'avait dit quelque chose qui m'avait surpris. « Au fond tu es jaloux de Brian Jones. » Aurais-je voulu mourir à 27 ans plutôt que de traîner aujourd'hui dans mon urine, en pleurant devant le spectacle d'une fille endormie ? Non, sûrement pas. La compassion que j'avais pour Anita Pallenberg se réveillant au premier matin de printemps, à Valencia, dans la joie et le malheur, sans que l'un puisse se départir de l'autre, souillure originelle du nouvel amour qui allait la conduire à donner la vie puis, par culpabilité, à s'enfoncer de plus en plus loin dans la drogue, jusqu'à se retrouver seule et violée, enfin punie, dans une prison jamaïcaine, à la fin des années 1970, épisode qui n'avait pas de place dans la série, mais dans le livre peut-être, cette compassion ranimée par la vision du sommeil d'Esther et de la prémonition de ce que serait la vie d'Esther après ma mort, valait mieux, malgré le fiel et l'amertume, que de mourir à 27 ans en aveugle, en fou, en jeune homme. Mes larmes mouillaient mon oreiller, j'avais cessé de pleurer, et je me mis à prier pour le bonheur futur d'Esther, pour qu'elle ait des enfants, qu'elle soit heureuse et qu'elle vieillisse en femme, plus paisiblement que moi, dont l'ombre lointaine lui resterait peut-être en mémoire, lorsque le temps aurait effacé de son oreille le son de ma voix.

Les trois dernières semaines qui précèdent la fin d'un être voué à la mort me fascinaient, peut-être par l'impression que j'avais d'entamer moi-même ce capital d'heures et de minutes. Un espace de temps banal, parfois moins dangereux que d'autres moments plus intenses, qui donne une impression de suspens amolli, j'étais d'accord avec le Coréen pour juger que le meilleur rendu de cet état d'âme était l'admirable film de Gus Van Sant *Last Days*. Dans le cas de Brian Jones, la période de latence courut entre le moment où il apprit de la bouche de Mick et de Keith que les Rolling Stones se séparaient de lui, il se trouvait alors avec Suki Potier chez Keith, dans la maison de Redlands, sous la garde de Tom Keylock, puis je ne sais à quel moment, il avait rejoint Porcinet et Winnie l'Ourson dans sa nouvelle et dernière demeure, Cotchford Farm. Toujours sous la garde de Tom et du sinistre Frank Thorogood, l'homme qui avait prétendu trente ans plus tard sur son lit de mort l'avoir noyé, à la manière de Maurice Ronet dans *La Piscine*. En trois semaines sa compagne avait changé, il s'agissait d'une autre blonde à frange et accent nordique, une Suédoise cette fois, Anna Wohlin.

La séquence de la rupture avec les Stones allait être tournée dans les mêmes décors que la descente de police qui ouvrait le premier épisode de la série. Redlands avait finalement été reconstruit en Espagne pour les intérieurs.

Je devais donc écrire sur place, dans l'urgence absolue, la scène de la rupture avec les Stones. Ma santé physique se dégradait chaque jour. Incontinence, sensation d'épuisement, douleurs musculaires dans les mollets dues à je ne sais quel médicament, à cela s'ajoutaient les ennuis financiers prévisibles. Au matin de la première nuit en Espagne j'avais découvert que tous mes prélèvements étaient refusés et ma carte de crédit bloquée. J'avais déjà connu à de multiples reprises dans mon existence ce type de situation et je restais donc assez stoïque, surtout depuis que nous avions retrouvé la VHS de *L'Exorciste*. Esther se montrait plus insouciante que moi. Mes problèmes d'énurésie ne la dégoûtaient pas et mon impécuniosité lui paraissait une aventure amusante, – « La vie d'artiste… » comme me disait toujours un ami d'autrefois, mort plus jeune que moi d'un cancer du rein. Elle se montrait très charitable, attentive à essayer de soulager mes douleurs. Elle y trouvait le prétexte à de fréquents arrêts dans des pharmacies, sa seconde passion après les relais d'autoroute. Pour me consoler, elle me fit remarquer que les mots « ruine » et « urine » formaient une anagramme.

Notre arrivée sur le tournage était annoncée pour le soir du deuxième jour, mais je décidai en dépit de toutes les pressions, de faire un crochet par Cordoue pour montrer à Esther la grande mosquée.

Je n'avais visité la Mezquita que deux fois dans ma vie et elle m'avait laissé une impression inoubliable, jamais ressentie dans un autre lieu au monde. Je voulais qu'Esther la découvre avec moi. Sa famille était originaire de Cordoue. Ses ancêtres avaient connu l'époque heureuse du Califat. Je lui parlai de la lumineuse inclusion d'une basilique chrétienne à l'intérieur d'une des plus profondes mosquées du monde. Cette forêt de colonnes qui s'assombrit au point de devenir obscure, puis soudain s'éclaire pour devenir église avant de se renfermer dans la pénombre.

Esther restait silencieuse, fumant de nouvelles cigarettes électroniques qui sentaient l'odeur du papier maïs des clopes de mon enfance. Son silence vibrait dans l'air comme les spasmes d'une femme qui prend son plaisir en secret. Sa main se posa sur la mienne quand ma voix commença à dérailler sous le coup de l'émotion. Elle était si sensible qu'elle entendait mes pensées, ce qu'il y avait derrière mes mots. Le message de l'au-delà. Sa discrétion l'empêchait de vaciller, elle restait digne et sereine mais je savais, j'étais sûr, qu'elle comprenait l'image de la forêt obscure, des pierres et de la lumière descendue des voûtes. Elle m'entendait, de même qu'absorbé par la conduite, nous étions montés aux alentours de 200 km/heure, je voyais en esprit sa beauté, son profil, hérité en ligne droite de l'époque du Califat, un camée de chair humaine, elle existait si fort près de moi que je n'avais pas besoin de tourner la tête.

L'envolée en Andalousie ne prit que quelques heures. Je fis un arrêt dans une sierra déserte, je devais pisser. J'avais quitté la route pour m'enfoncer de quelques mètres dans un chemin poussiéreux qui menait à une grande maison abandonnée. La température dépassait les quarante degrés, sans la moindre humidité. La bâtisse sous laquelle nous nous étions arrêtés était une belle finca dont les murs zébrés d'énormes fissures menaçaient ruine. Dans la cour, devant une terrasse suspendue dont la plupart des balustres s'étaient écroulés, s'élevait un palmier. Au fond, une chapelle, on se serait cru au Mexique. J'allais me soulager sous un flamboyant presque chauve dont les fleurs séchées s'accrochaient à mes cheveux. Il n'y avait pas le moindre vent et pourtant j'entendais comme un souffle qui s'exhalait des fissures, ainsi qu'un bruit sourd, répétitif, un bruit de cœur artificiel, de machine. On aurait dit qu'un générateur électrique se cachait derrière les hauts murs à créneaux mauresques.

J'aurais pu aller voir mais j'aime le mystère, cette ruine semblait avoir un cœur, un poumon, la vie d'une entité. La chaleur extraordinaire qui régnait en ce lieu, la sécheresse des plantes donnaient l'impression d'une présence malade et monstrueuse. En revenant à la voiture je découvris qu'Esther avait déplié une table de camping 1960, mon bureau de baroud, et s'était installée pour dessiner assise sur mon vieux tabouret canne en cuir marron. Elle s'était mise à l'aise, en short et savates blanches d'hôtel, ses petits seins saillaient sous son marcel de coton bleu. Elle était coutumière de ce genre de pause et je pris garde de ne pas la déranger. Sans mot dire, je récupérai mon carnet dans le vide-poche et j'allai m'étendre sur un genre de paillasse naturelle qui bordait le fossé en haut duquel se dressait la grande ruine.

J'essayai une fois de plus d'entrer dans la tête de Brian Jones, profitant de ce moment intempestif, non inscrit au programme, la liberté d'écrire quelque chose de difficile et d'improvisé, un dialogue par exemple, était plus grande quand je n'avais pas prévu de m'y mettre. Je me lançai sur un échange crépusculaire entre Brian et Suki, dans la cuisine après qu'il eut appris son éviction des Rolling Stones. Suki Potier, avatar d'Anita Pallenberg, sur certaines photos on pouvait les confondre, avait survécu à l'accident mortel de l'âme sœur de Brian, Tara Browne. C'était elle la passagère de la Lotus qui s'écrasa une nuit de décembre, à Londres sur un réverbère. Tara était le confident de Brian, une des rares oreilles qui acceptait d'écouter ses longs monologues d'obsédé paranoïaque à propos des Rolling Stones ou d'Anita. Après la mort de Tara, quand Anita avait quitté Brian pour Keith et qu'il avait perdu les deux en même temps, il s'était tourné vers Suki. Elle avait la réputation d'être bête, mais la bêtise de Suki, en quoi consistait-elle ? Impossible de vérifier, elle était morte en 1981 d'un autre accident de voiture au Portugal avec un mari chinois. Une belle fille bête et un jeune homme désespéré à quelques dizaines de jours de sa mort, dans la pénombre d'une cuisine mal tenue, cela excitait mon imagination. Dans des situations cruelles, après un deuil, il m'était arrivé de trouver charme et consolation à la compagnie de gens réputés stupides ; beaucoup plus qu'auprès des intelligences, souvent plus perverses ou lucides, donc pessimistes. J'ai toujours voulu mourir entouré de jeunes idiots futiles. Suki, puisqu'elle avait été la compagne de Tara et qu'elle côtoyait le groupe et les filles du groupe, Marianne et Anita qui ne l'aimaient pas beaucoup, choquée par l'accident, décervelée par les drogues, que pouvait-elle ce soir-là pour ce garçon malade et désespéré, plus peut-être que ne l'imaginerait un scénariste, ou alors rien, ce qui est aussi quelque chose quand on va vers la mort ?

De tous les Rolling Stones, Brian Jones avait le plus mal vécu l'effet fusée de la gloire mondiale (1965-1967). Après la perte d'Anita, le double astral l'avait emporté sur le jeune homme, et ce double n'était qu'un fantôme suscité par les plus anciennes névroses. Déjà sur les vieilles photos jaunies si tristes des années 1950, tout bébé, il avait cet air désemparé qu'il retrouverait pendant la dernière année de sa vie. Caractériel, défoncé, livré à toutes les infirmières au sexe chaud qui lui mangeaient le cerveau en lui fournissant à flux tendu du LSD, des speedballs, des champignons, de l'angel dust etc... ancien porte-étendard de la croisade des enfants (l'expression était de Marianne Faithfull) lâché par son groupe, désavoué en tant que compositeur, d'ailleurs incapable de composer, dégoûté par l'opportunisme psychédélique de l'album *Their Satanic Majesties Request*, dont il haïssait le moindre morceau, il réunissait dans son âme toutes sortes de puissances contradictoires. Il était, je l'ai dit, le meilleur musicien et le plus écarté des compositions, invalide à cause des drogues, de la haine de soi, de la peur panique de l'abandon, mais surtout détruit dans sa ferveur homosexuelle, ciment du premier groupe, par l'alliance artistique Jagger/Richards qui allait signer tous les morceaux, la trahison d'Anita n'étant que le pendant de la trahison des deux autres, un assassinat, certes, mais peut-être était-ce sa faute, il s'était rendu insupportable à tous ses proches, réagissant par des rages enfantines, se fracassant les os, attrapant tous les virus, personne ne pensait qu'il vivrait jusqu'à la fin de l'année 1969 et lui non plus. Alors Suki, aussi bête soit-elle, devait avoir envie de s'enfuir, quand elle l'écoutait pleurer dans sa cuisine en se demandant à quel moment elle pourrait se sauver, il suffisait d'attendre qu'il lui tape dessus, ça se terminait toujours ainsi avec Brian et les filles qu'il choisissait à sa ressemblance pour mieux frapper sa propre gueule, mieux détruire cette petite gueule d'ange, bouffie avec des poches et des yeux de plus en plus rentrés, mais petite gueule d'ange quand même.

Suki avait peur du coup de trop qui allait lui briser l'arête du nez ou la rendre invalide. Il faudrait partir avant le chant du coq, quand il dormirait par terre dans sa peau de bique, souillée de morve et de vomi.

La scène, je la tenais maintenant, le paranoïaque vérifiant l'exactitude de ses peurs et de ses soupçons, la joie noire pleine de bile d'être trahi, et la fille un peu bovine, faussement compatissante, ou plutôt mécanique dans l'expression de la pitié, mais qui ne pense qu'à se barrer et lui qui sait bien sûr qu'elle ne pense qu'à se barrer et qui, se blottissant dans la beauté de sa chair jeune et bronzée, l'odeur de pain grillé de sa merveilleuse jeunesse, pense à lui péter la gueule une bonne fois pour toutes pour qu'elle aussi, Suki Potier, la veuve de ce pauvre crétin de Tara, le craigne et le haïsse.

Pour dramatiser ça, il faudrait un coup de fil, Suki part s'isoler, chuchote au téléphone avec on ne sait qui, un soupirant, un Beatles, un journaliste, une autre groupie, et Brian bourré, le frappeur de femmes, apparaît en ombre sur la porte comme dans les vieux films expressionnistes, genre *Nosferatu* ou *Le Golem*. Il fallait que le public ait peur pour Suki et qu'au fond le public souhaite la mort de Brian, comme tout le monde à l'époque.

Je levai la tête, le ciel s'était assombri. Un orage arrivait à la vitesse d'une tornade. Le vent agitait les herbes sèches, menaçait de faire tomber les murs lézardés de la finca. Un oiseau, genre aigle ou grand-duc, s'envola d'un trou béant sous la croix de pierre de la chapelle. Je crus apercevoir quelqu'un debout sur un balcon penché dont le garde-corps en métal rouillé s'était arraché et pendait comme un hameçon dans le vide. Une ombre blonde, vêtue d'une pelisse de berger en mouton. Le vent sifflait sur les tuiles un air de flûte de Pan. J'avais la tête tellement pleine de toutes les photos de Brian Jones, j'étais si possédé par sa présence, par sa faiblesse, par sa rage que je pouvais bien avoir suscité un ectoplasme.

Je me levais pour récupérer mon pantalon, que j'avais mis à sécher sur un arbuste. Je manquai me casser la figure en voulant l'enfiler debout comme un jeune homme, je me rattrapai à je ne sais quoi qui piquait. Restait à chausser mes bottes de tankiste et je me dirigeais vers la BMW. Esther avait fini de dessiner, elle avait rangé son matériel et m'attendait sagement dans la voiture en lisant un livre, je reconnus la couverture blanche des *Aventures de Huckleberry Finn*.

J'arrivai tant bien que mal à m'asseoir au volant, je dus soulever à la main pour rentrer dans la voiture mes jambes ankylosées par la longue station à écrire dans la paille. De grosses gouttes de pluie s'écrasaient sur le pare-brise. Je demandai à Esther où elle en était du roman de Mark Twain, elle me répondit qu'elle venait d'attaquer un passage où Jim, l'esclave nègre fugitif et son jeune ami Huck, en radeau sur le Missouri, discutent, regardant les étoiles, des objets que l'on a le droit d'emprunter (c'est-à-dire de voler avec l'idée de les rendre un jour) comme les pastèques, les cantaloups, les poulets, les pommes sauvages ou les kakis. J'ignorais ce qu'étaient les cantaloups. Esther cherchait la réponse sur son téléphone quand elle poussa un cri. Je tournai la tête, une face toute blanche s'était collée à la vitre. Un jeune homme de mauvaise mine avec une frange blonde rangée comme une perruque et des yeux pochés et cernés. C'était Brian. Qui d'autre pouvait se tenir par quarante degrés sous la pluie avec une peau de bique afghane, un pantalon en velours frappé vert céladon et des bottes de dompteur en cuir écarlate ? À voir sa mine sous le fond de teint qui se décollait et coulait sur son col en dentelle, c'était le Brian de la fin, celui sur lequel je planchais. Je lui fis signe de rentrer dans la voiture par la portière arrière et il se laissa tomber sur la banquette après avoir gentiment arrangé le désordre laissé par Esther. À son odeur, à sa manière de se présenter, il s'appelait Otto, je compris que notre foyer comprenait désormais un nouveau membre. Il était poli, plus poli que le vrai Brian, avec un petit rire charmant et gêné. Il sentait le tabac, l'alcool, le patchouli et la peau de bête mouillée, sa voix était aigrelette, nasale avec un léger accent teuton qui colorait un anglais de première nécessité. Lorsqu'à la demande d'Esther il lui tendit l'étui de cigarette électronique qu'elle avait oublié sur la banquette arrière, ces deux-là se comprirent tout de suite à demi-mot, au passage de ses doigts je sentis une petite odeur fleurie de savonnette. J'ai toujours eu de l'affection pour les garçons très jeunes, à 20 ans je traînais la nuit avec des mômes de 15 ans.

Je m'inquiétai de comment il était arrivé là, il me répondit qu'il en avait marre de l'atmosphère du tournage et qu'il était monté dans une camionnette qui transportait des oranges. Il m'apprit que « Korean City », c'est ainsi qu'il surnommait le plateau, se trouvait à une cinquantaine de kilomètres à vol d'oiseau. Depuis trois jours, ils tournaient des scènes de voiture avec Keith et il s'était lassé de traîner dans sa roulotte à gratter sa guitare et à bouffer. Par contre, il y avait une fête prévue pour notre arrivée ce soir qui promettait d'être drôle.

Je lui demandai comment il nous avait reconnus. Il m'apprit qu'il avait rencontré Esther deux ans plus tôt, dans un cours de théâtre à Paris.

À ma grande surprise je ne ressentis aucune jalousie à cette nouvelle. Pour lever la gêne d'Esther, je lui pris la main et l'embrassai avant de continuer une conversation alerte avec Otto. Elle me regarda et je vis dans ses yeux qu'elle m'aimait plus encore que d'habitude, je l'avais surprise. Ma réaction n'était pas calculée, elle était naturelle et surtout elle était pure. Autrefois, il y a bien longtemps de cela, dans les années 1970, avec ma première femme, la seule à ne m'avoir jamais détesté, la pauvre était morte il y a deux ans, j'avais eu cette même réaction lorsqu'elle m'avait avoué être tombée amoureuse d'un très jeune homme, 15 ans peut-être, qui vivait à l'hôtel près de chez nous rue Saint-Denis et volait des scooters. Cet être vivant, extraordinairement sauvage et sincère, Pierre Clémenti devait lui ressembler quand Delon l'avait levé à Saint-Germain, était devenu depuis un acteur de second plan, mais à l'heure où Sylvia en était tombée amoureuse, c'était l'archange absolu, une brute subtile, un bel animal. Il s'était installé chez nous et je les avais laissés s'aimer, passant moi-même d'aventure en aventure, jusqu'à ce que nous retrouvions seuls avec Sylvia pour quelques années qui restaient pour moi dorées de la lumière de l'enfance. Cette liberté, celle des années 1970, je venais, en laissant Otto s'embarquer avec nous, de la retrouver. Et mon cœur s'était rouvert. Était-ce l'écrivain en moi qui saisissait l'occasion de réactiver l'indispensable et introuvable pureté dont j'avais besoin pour écrire sur les Rolling Stones ? Sûrement, mais c'était aussi l'homme qui venait de redécouvrir une grâce de son caractère, que des années de bamboches et de liaisons égoïstes, passionnelles ou intéressées, avaient obscurcie.

Je parlai un moment puis je me tus, m'absorbant dans le pilotage de la BMW sur de petites routes tortueuses et amusantes. Sans même en débattre avec Esther, nous avions abandonné de concert le projet de visiter la grande mosquée. J'avais conscience d'entamer le dernier acte de ma vie, et que l'unité de lieu qu'exigeait la dramaturgie était Korean City, où se trouvaient à la fois des décors marocains, la ferme de Redlands et quelques chambres d'hôtel espagnoles. Esther et Otto entretenaient une conversation à laquelle leur mutuelle timidité, mais aussi leur âge – ils avaient tous les deux moins de 25 ans –, donnait une note fraternelle. Ils n'étaient pas dans la séduction ou alors celle-ci était si évidente pour eux qu'ils n'éprouvaient pas le besoin de la marquer. Ils causaient en anglais, pudiques comme deux gamins. Esther me parut soudain différente, elle ne faisait plus l'enfant, elle était plus garçonnière, presque dominatrice. Et lui se laissait faire avec une bonne grâce de chiot, même si l'on sentait pointer par moments une virilité un peu simplette, plus appuyée que la mienne.

En le surveillant dans le rétroviseur, je me reprochais d'avoir trop vieilli mon Brian Jones. L'aplomb sans malice d'Otto me semblait assez loin de ce drame intime, de cette conscience de soi mauvaise qui était plus d'un vieillard que d'un garçon de 27 ans, même à quelques jours de sa mort. Je songeais à rehausser les teintes trop nocturnes de mon portrait par des saillies, des brillances, des bêtises de jeune homme. Que le Brian de la fin soit plus noir qu'Otto était une évidence, surtout qu'ici le comédien avait oublié son rôle, mais la relation complexe qu'entretenait le fond mélancolique, amer et destructeur du musicien avec l'aspect solaire et dominant de sa personnalité méritait un léger remodelage, Otto me servirait de motif. J'avais mis trop de moi-même, de lourdeur, de pathétique dans le personnage que j'avais créé, alors qu'à l'instant même où il s'était assis à l'arrière de la voiture, Otto m'avait soulagé d'une partie de mon fardeau.

Tout en conduisant, je pensais à un épisode qui s'était passé à Montréal lors de leur dernière tournée. Un concert catastrophe où les tribunes bondées s'étaient écroulées sur la scène. Les Stones avaient failli mourir étouffés, ils avaient dû piétiner le public pour s'enfuir jusqu'à la limousine coincée dans un tunnel envahi d'une marée humaine. Le toit s'écrasait petit à petit sous le poids des spectateurs grimpés sur la voiture. Le chauffeur québécois était paralysé, ne sachant comment se tirer de la situation sans blesser personne. C'est Brian Jones qui avait arraché le pauvre type à son volant, démarré la limousine et foncé dans le tas, aidé par Keith Richards qui appuyait sur l'accélérateur, en zigzaguant ils avaient fait chuter les derniers accrochés, comme les damnés sur la barque de Dante. Même au bout du rouleau, Brian Jones restait une petite brute impitoyable, vivace, un chien de combat, une pierre qui roule. Il ne fallait pas oublier cela, les années 1960 étaient beaucoup plus violentes et destructrices qu'aujourd'hui. Des rockers modernes qui agiraient ainsi perdraient une partie de leur public et s'attireraient les foudres de la presse prétendument rock. À l'époque, c'était l'après-guerre, on s'en foutait pas mal de la dignité humaine.

Korean City était bâtie au milieu de nulle part, dans un paysage aride qui avait servi de décor à des westerns spaghetti il y a cinquante ans. D'abord un portail en bois semblable à une potence, puis une allée poussiéreuse menant à quelques bâtiments minables figurant une ville du Far West avec son saloon et sa prison. Devant le saloon était garée la Bentley de Keith Richards. Sur l'aile avant, elle portait un fanion aux couleurs du Yucatan. Les restes d'une véranda à moitié écroulée accueillaient un groupe de jeunes filles assises en rang qui semblaient attendre sans trop d'espoir ni d'impatience la venue de Jésus-Christ ou de Charles Manson. Trois d'entre elles se ressemblaient comme des sœurs. Je reconnus au moins deux Anita Pallenberg, à moins qu'il ne s'agisse de Suki Potier. Marianne Faithfull lisait un livre sur l'écran d'un iPad, quand elle se leva pour me saluer, me faisant la bise, je lui trouvai l'air plus frais que sur les photos, elle ne ressemblait pas vraiment à Marianne mais elle avait bien attrapé son côté rêveur.

Esther et les deux Anita se suivaient sur Instagram, elles entamèrent aussitôt une de ces conversations sans trop d'énergie mais pleines de liens codés, de connivence larvaire, qui suffisent aux jeunes modèles et actrices à passer le temps durant les castings ou les séances photos. L'autre fille était une Noire, coiffée à l'afro qui ne cherchait pas à être aimable, sauf avec Otto ; visiblement celui-là avait la cote avec tout ce qui portait jupons ou minishort en jean. Au loin, des techniciens s'activaient sur un des supports de caméra qui servait aux plans pris sur la Bentley. Otto lâcha la Noire et me proposa de visiter les plateaux, il était attentif, mignon, avec cette grâce sans frivolité, très premier degré, que la jeunesse noctambule européenne a empruntée à la Californie et au Japon. D'après ce que j'avais compris de sa conversation avec Esther, il avait une fiancée japonaise qui jouait de la basse acoustique dans un groupe franco-belge. C'était un séducteur-né et il m'allumait comme il l'aurait fait avec une fille de son âge, ceci sans malice mais avec un vrai désir de plaire qui lui servait de passeport.

Un chien se mit à nous suivre, « c'est le dog de Keith », me dit-il avec son curieux accent mâchouillé, vaguement dégénéré de l'anglais, qui lui servait de langue générale.

Le premier plateau reconstituait les studios Olympic où Jean-Luc Godard avait filmé la mise au point de « Sympathy for the Devil » dans *One+One*. Du bois partout, des parois colorées séparant les box où chaque musicien isolé enregistrait sa partie. Le film de Godard était un bon documentaire, on y assistait à la construction du morceau et incidemment, en arrière-plan, à l'effondrement de Brian.

Le nouveau Brian était en pleine forme, il s'empara d'une guitare acoustique et commença à jouer pour moi en me faisant des petits clins d'œil, des cajoleries de musicien. Il n'était pas très bavard, plutôt simple, et la musique lui servait à exprimer ses émotions. « Ruby Tuesday », qu'il dominait aussi bien que son modèle, arrivant à reproduire on ne sait comment les effets du clavier sur la caisse de la guitare, « Ruby Tuesday » joué juste pour moi, dans la chaleur non climatisée du désert était une aubade, mon cadeau d'accueil.

— Tu as apporté l'opium ?

— Ouais une boulette, je l'ai rangée avec mon fric, du coup mes billets sentent l'odeur.

— Aha ! Cool ! Je te jure qu'on va s'éclater ce soir.

— Vous vous faisiez chier avant ?

— Non, non, c'était cool mais là ça va être encore différent.

— Ça peut devenir compliqué.

— Avec elle ?

J'observai un temps de silence avant de lui répondre :

— J'aime seulement savoir où j'en suis.

Il ne dit rien mais tira de sa poche une boule en cellophane, qu'il tapota pour tracer deux lignes de coke sur le disque d'une cymbale. Je lui tendis une coupure de cinquante euros puant l'opium qu'il renifla en ricanant. Nous sniffâmes chacun notre part puis il me prit par l'épaule et me dit :

— Tu sais je la connais depuis qu'elle a 18 ans. C'est comme une sœur… Elle t'a pas dit ?

— Non, je lui ai demandé de ne jamais me parler du passé.

— Aha, drôle ! Le lourd passé… aha… Toi t'as dû connaître tout le monde.

— Qui tout le monde ?

— Les Stones… Anita… Marianne, tout ça…

— Non. J'ai juste connu Marianne Faithfull et un peu moins Anita Pallenberg.

— Anita c'est dommage qu'elle soit… décédée. Elle était classe. Elle devait avoir des trucs à raconter, qui auraient pu nous aider.

Je lui répondis qu'Anita n'avait gardé pratiquement aucun souvenir de ces années. Sa mémoire s'arrêtait vers 1968, après c'était le noir jusqu'à ce qu'elle ait décroché de l'héro. Il ne m'écoutait plus. Il était à son téléphone en train d'envoyer des messages.

— C'est dingue, avant de commencer le rôle de Brian, je stagnais à 10 ou 12 K, maintenant j'en suis à 20 K.

Devant mon silence, il rougit et me proposa

d'aller visiter le plateau d'à côté, l'intérieur de Keith à Redlands.

Je n'avais rien à dire sur ce décor dont je ne connaissais aucune image d'époque. Ça m'avait l'air d'être exact, une chaumière pop. Du bois, des poutres, des lits arrangés en canapés. Un peu de quincaillerie marocaine, une belle chaîne haute-fidélité avec d'énormes enceintes.

Sur un des lits traînait la fameuse couverture en fourrure de Marianne.

Otto me dit qu'ils avaient tourné les scènes de descente de police la semaine dernière. Les figurants flics avaient cru mourir, en uniforme dans les coulisses non climatisées. Il s'étonna du scandale provoqué par si peu de came. Je lui expliquai le Drug Squad de Londres et le coup monté par les journalistes. Il m'écoutait, acquiesçait, mais j'avais le pressentiment qu'il savait déjà l'essentiel de ce que je lui racontais, c'était un truc pour me mettre à l'aise, partant du principe que les vieux aiment bien s'écouter parler. Fou à quel point les jeunes comédiens se comportaient comme des escort boys. Ils avaient tous intégré un mode cool et séduction qui laissait un peu sur sa faim et leur enlevait de la profondeur de jeu. Ils n'osaient pas aller au bout de leur agressivité. Pas de doute que dans la même situation, le vrai Brian Jones m'aurait traité comme de la merde, ou s'il était intéressé serait allé au contact. Lui, je le sentais se rétracter dès que j'essayais de la jouer sur un plan plus intime, il était cool mais comme les timides, il n'aimait pas qu'on se dessape, qu'on dégouline sur lui. Il me prenait par l'épaule, aurait presque pu me faire des petits bisous mais avait une phobie du contact, telle une jeune fille trop jolie. Tout ce qu'il disait était codé, il y avait une bible de la série *Satanic Majesties*, il y avait aussi une bible non écrite du comportement « jeune comédien rock ». En même temps, c'était une éternelle question de génération, James Dean devait faire le même effet à ses aînés. Au fond il allait à l'essentiel, la prostitution *soft*, le paradoxe du comédien. Je n'étais pas là pour vivre avec les Rolling Stones mais pour leur écrire des dialogues. Quand nous sortîmes du studio je lui demandai où était le Coréen. Il me répondit qu'il tournait une scène de piscine avec Keith et un photographe anglais. Je lui demandai s'il s'agissait de Cecil Beaton, visiblement il ne savait pas qui était Cecil Beaton, il me répondit, évasif et distrait en manipulant son Instagram, que c'était un vieux, un peu snob.

— Viens, je vais te montrer un truc qui va te plaire.

Il m'entraîna dans un décor de plein air assez ébouriffant. Un jardin anglais, verdoyant et humide, reconstitué en pleine sierra avec des plantes en plastique, des pierres peintes comme celles des fausses cheminées, on aurait dit une crèche maudite inventée par Lovecraft sur la Lune. Au détour d'un bosquet, je tombai sur une sculpture monumentale de Winnie l'Ourson puis, derrière un labyrinthe de buis et de fougères découpées au laser, sur une piscine de petite dimension gardée sous le lierre par l'effigie de Porcinet. Tout cela était grotesque et sinistre, surtout dans cette chaleur. Il souffla :

— C'est là que je vais mourir.

— Tu meurs quand ?

— Demain… grosse journée.

Je lui demandai de montrer son torse. Un peu interloqué, il entrebâilla sa chemise à jabot de dentelle. Il était impeccable, un joli petit crabe, des muscles fins et fermes, pas un pet de gras. Je lui dis que Brian avait gonflé les derniers temps. Les tranquillisants, l'alcool et l'inaction. Qu'il ne faisait même plus semblant de baiser. Otto me lança un regard de vamp sous ses longs cils. Il ne dit rien mais je compris qu'il n'était pas question de s'abîmer pour un rôle. Il m'expliqua qu'il se baignerait avec ses fringues, vu qu'il était bourré. Il suffirait aux habilleuses de rajouter un peu de brioche postiche. Je me souvenais que Brian s'était baigné nu, ou en tout cas en caleçon car ses vêtements avaient été retrouvés sur le bord de la piscine. Cela faisait partie des pièces à conviction lors de l'enquête. Il s'ébahit de mon savoir encyclopédique sur la question. J'ignorai la flatterie et je lui demandai s'il avait vu *La Piscine*, le film de Jacques Deray qui aurait pu inspirer l'assassin. J'avais, à la demande de la production, rédigé deux versions de la mort de Brian, l'officielle (la noyade accidentelle) et la paranoïde (la thèse de l'assassinat de Brian, par Thorogood, l'entrepreneur mafieux qui faisait des travaux chez lui). Pas de réaction, il n'avait pas vu le film ou alors il n'avait pas envie de répondre pour une raison qui m'échappait. Le cool consiste aussi à éluder certaines questions pour reprendre l'avantage sans effort. En parlant, j'avais négligemment enlacé Porcinet, me servant de lui comme un ivrogne de son camarade de biture. Je parlais vite, trop, je sentais l'effet de la cocaïne d'Otto. Il s'esclaffa devant le tableau que nous formions avec Porcinet et s'empressa de faire un selfie de nous deux enlacés au cochon de ciment dont les épaules rondes chauffaient mes mains.

— Je peux la mettre en story ?

— Tu peux faire ce que tu veux, chéri.

Une fois de plus, il se concentra sur Instagram. Le soleil baissait derrière un rideau de palmiers qui fermait l'horizon. Un autre décor, celui de la piscine marocaine. Je devinais des silhouettes qui s'agitaient et je crus reconnaître les cheveux d'Esther. Il leva le nez de son téléphone :

— Vous êtes très beaux tous les deux.

— Moi et le cochon ?

— Non, toi et… elle.

Il avait du mal à prononcer le prénom d'Esther. Je me demandais ce que cela signifiait. Pudeur ? Désir ? Ou simple grossièreté de jeune playboy pour qui toutes les belles filles se valent ? C'était sûr qu'il voulait me signifier par là que la voie était libre, qu'elle ne l'intéressait pas ou plus, et surtout qu'il me respectait. Effet de la cocaïne, je le trouvais gentil, vraiment, pas juste cool mais gentil. C'était frappant avec ces jeunes. Leur gentillesse. Rien à voir avec l'agressivité que j'avais toujours rencontrée sur ma route. Même les producteurs qui venaient de m'envoyer un petit message de bienvenue étaient des gentils garçons. Difficile de ressusciter les Rolling Stones dans ces conditions. Otto était à des années-lumière de ce chien enragé de Brian Jones. En revenant vers le saloon, j'essayai de lui parler un peu du personnage. De ce que j'avais dégagé de ces trois dernières semaines avant sa mort.

À peine deux heures après mon arrivée, je me retrouvais sous pression. Le Coréen et le producteur exécutif me convoquèrent pour une réunion d'urgence concernant les scènes du lendemain. Les deux versions de la mort de Brian. Dans la version parano, Brian était noyé par Frank Thorogood, un homme à tout faire des Rolling Stones, officiellement entrepreneur en maçonnerie, sous prétexte d'un différend à cause d'un impayé sur les travaux de la maison où il venait d'emménager. Cette thèse s'appuyait sur quelques témoignages et principalement la confession qu'avait faite Thorogood sur son lit de mort. La réunion avait lieu dans l'arrière-salle du saloon, et le Coréen était en retard. Pas trace non plus du producteur exécutif. Comme toujours au cinéma, j'en étais réduit à attendre. Aucune nouvelle d'Esther. Nous étions logés dans un bâtiment en préfabriqué du genre motel et j'avais eu à peine le temps de passer me rafraîchir dans la chambre. J'avais noté la présence de ses affaires sur le lit. Le désordre habituel, valise ouverte, un étalage de bikinis qui courait sur la moquette grise jusqu'à la porte d'entrée.

En me rendant au saloon, j'avais entendu au loin derrière les palmiers des rires et des plouf, j'en avais déduit que tous les petits comédiens étaient partis se baigner à la piscine marocaine pour profiter du coucher de soleil. Je me sentais seul, abandonné, comme dans ces cauchemars récurrents où je perdais les femmes aimées dans des fêtes et n'arrivais jamais à les retrouver. Le téléphone passait mal, le réseau devait être monopolisé par l'équipe, il n'y avait qu'une barre et aucun message d'Esther. Mon problème urinaire s'était aggravé, je mouillais mon jean et dès que j'essayais de pisser, rien ne venait, trois gouttes, effet de la cocaïne sans doute. J'avais mal au ventre en permanence. Une soif inextinguible me poussait à boire des verres d'eau qui ne faisaient que relancer mon supplice. Rarement je m'étais senti aussi bas que dans cette pièce aveugle, sur cette chaise de western, à attendre balayé par la clim et l'air que remuaient en passant des assistantes indifférentes. Rien de tel qu'un plateau de cinéma pour me coller au fond du trou. J'étais un solitaire, un artiste, un orgueilleux, je n'avais rien à faire ici à part écrire, et je n'avais aucun talent pour attraper l'air du temps, me trouver des amis, lancer des small talks, surfer sur la réalité. Je me trouvais l'air vieux, moche et totalement paumé. La fin du voyage tirait en longueur. Je regardais mon téléphone, attendant un signe d'Esther. Ma seule planche de salut était de penser à Brian, qui ne devait pas se sentir brillant lui non plus durant ces trois fameuses dernières semaines passées avec Anna, ce modèle suédois anorexique, dernier avatar funèbre d'Anita Pallenberg à Cotchford Farm entre Winnie l'Ourson, Porcinet et des invités locaux, parasites chevelus qui n'étaient plus ceux de Londres et pas vraiment, d'après les témoins, le haut du panier. L'époque Tara Browne et de la gentry pop était loin.

Je regardai la notice de Winnie l'Ourson sur Wikipédia, Porcinet y était ainsi décrit : « Porcinet (Piglet), il s'affaire principalement à rendre son intérieur douillet et confortable. Il est caractérisé par une grande timidité et beaucoup d'inquiétude. »

Le vrai Brian des derniers temps ? D'où les travaux, d'où Thorogood.

Thorogood, j'avais une photo de lui à l'enterrement de Brian, cérémonie à laquelle aucun Stones n'avait assisté, il tenait le bras d'Anna la Suédoise, comme s'il était son garde du corps ou si elle était à lui. Une sale gueule de cockney bagarreur, un voyou. Autre mystère, la présence ou non, la nuit du décès, du chauffeur, Tom Keylock, l'homme du petit matin d'Albi quelques années plus tôt. Officiellement, cette bonne âme était là pour empêcher Brian de faire des bêtises, lui aussi était un suppôt des Stones. C'est d'ailleurs lui qui devait témoigner trente ans plus tard contre Thorogood. Je me doutais que le Coréen voulait filer le personnage jusqu'à la nuit du drame. Il l'aimait bien, il m'en avait parlé souvent. Tout ce qui rattachait les Rolling Stones au Londres interlope des années 1960 lui plaisait, pour lui cela donnait à la série un petit côté film noir, quelque chose comme les premières séquences de *Performance* ou de certains films de Losey. Pour essayer d'oublier ma déprime, je réfléchissais à une bonne scène d'embrouille entre Thorogood et Tom. Elle pourrait avoir lieu dans le jardin féerique de Cotchford Farm, non loin de l'effigie de Winnie l'Ourson.

L'autre mystère, à en croire les insinuations de Spanish Tony Sanchez, tournait autour de la disparition des 100 000 livres que les Stones auraient données à Brian pour le dédommager de son licenciement. Tony était un menteur invétéré comme tous les voyous et il n'avait de cesse de se monter au premier plan, de salir les autres et de se donner le beau rôle. Cette histoire d'argent sonnait faux, car il s'agissait d'un accord passé devant des hommes de loi et non d'un paquet de biftons sorti d'une valise. Selon un autre témoin, Brian était inquiet car il dépensait sans compter et le premier versement ne devait, si ma mémoire était bonne, intervenir à échéance qu'en 1970.

J'étais en train de méditer sur ce matériel fragile quand les portes du saloon s'ouvrirent pour laisser place à mon jeune Coréen, suivi d'une espèce de gitan sportif qui portait un serre-tête lui servant à retenir sa crinière et un maillot de footballeur. Le producteur délégué, un Canadien, un sacré pistolet. Ancien patineur artistique, il semblait avoir ingurgité toute une pharmacie de campagne.

Aussitôt assis en face de moi près du petit garçon à lunettes rondes, l'ancien patineur artistique se mit à crier :

— La triste réalité est que ces types sont des ordures.

Je le regardai sans mot dire, ne sachant pas s'il parlait de moi, du Coréen, des acteurs, des Rolling Stones ou de Thorogood et Tom Keylock.

Pour des raisons de dramaturgie, l'hypothèse du meurtre avait les préférences de la production. En tant que bâtisseur d'histoires, j'insistai sur l'importance de Tom. S'il avait un rôle à jouer la nuit du crime il devenait un personnage récurrent, après l'épisode d'Albi et ses liens avec Brian, son antipathie du premier jour petit à petit une forme de paternalisme, une tendresse menaçante typique des demi-sel et des gens du milieu. J'avais lu énormément de livres sur la mafia, les gangsters, la pègre anglaise où bisexualité et cruauté allaient de pair. Le Coréen, toujours précis et nuancé, me fit remarquer que Tom le chauffeur était moins un homme du milieu qu'un ancien militaire. Thorogood, lui, était un voyou. J'avançai une hypothèse qui m'était suggérée par la photo de l'enterrement. Après avoir noyé Brian, à coups de pied ou en lui faisant boire la tasse, comme Alain Delon en use avec Maurice Ronet dans *La Piscine*, Thorogood avait pu rentrer dans la maison et plus précisément dans la chambre du maître et baiser la fiancée suédoise. Un homme qui vient de tuer un autre homme a naturellement envie de s'emparer des biens et de la femelle du mort, c'est une suite animale au meurtre qui est avant tout un manque de respect.

Pendant que je parlais, le Canadien me regardait fixement de cet œil charbonneux des accros aux amphétamines.

Il attendit que j'aie fini, ou plutôt que le Coréen soit interrompu par un appel de la régie pour me demander :

— C'est ta copine, Esther ?

Je hochai la tête, attendant la suite. Je n'aimais pas entendre le nom d'Esther dans cette bouche. Il se contenta de me regarder sans sourire. Soit il avait une case en moins, soit il cherchait la bagarre.

— Il faut la surveiller un peu. Éviter que les « pop stars » (mots prononcés avec dérision) s'approchent de trop près.

Je lui répondis en me penchant vers lui pour violer son espace d'intimité :

— Et tu veux t'en charger ?

— T'énerve pas, t'as l'air un peu fatigué ce soir. Je pensais que je pouvais t'aider.

Il approcha son doigt de son œil.

— Jeter un œil.

Je me penchai un peu plus, au point presque de l'embrasser, jusqu'à ce qu'il recule imperceptiblement.

Il me faisait penser au genre de types qu'on rencontre le premier jour quand on arrive en prison. Ils viennent au contact soit parce que plus personne ne veut leur parler, soit parce qu'ils nourrissent de mauvaises intentions. En même temps, l'homme allait bien avec le contexte Thorogood et Keylock. J'avais le sentiment que ce n'était pas un méchant, juste un ancien champion complètement détraqué par les produits dopants, le sport et maintenant le cinéma. Je décidai de placer l'échange sur un autre terrain pour voir comment il se débrouillerait :

— Le point fort de la fin, c'est son allure de requiem.

— Tu veux te suicider ?

Pas de surprise, il était rapide. Les speeds aiguisent le sens de la repartie. Ce n'est pas à proprement parler l'intelligence qui travaille mais l'instinct.

La partie s'arrêta quand le Coréen voulut nous montrer une photo sur son téléphone. D'abord je crus qu'il s'agissait d'une poupée souvenir, le genre de gadget qu'on achète à l'aéroport de Séoul. C'était sa fille. Il en était très fier, comme il l'était de son frère jumeau, le ténor, et en général de toute sa famille.

— Elle a un an aujourd'hui.

— Elle est trop chou !

Le Canadien était plus à même que moi d'apprécier ce genre de spectacle, il devait avoir des enfants et quelques procédures de divorce sur le dos, et puis comme tous les drogués salariés, c'était un flatteur.

Le Coréen fit disparaître la photo du poupon d'un geste preste et s'absorba sur le retour vidéo d'une scène qu'il venait de tourner. Esther, nue, s'ébattait dans un grand lit avec Otto et une autre fille. Un effet psychédélique inspiré du *Dracula* de Coppola donnait l'impression que les draps était une masse liquide dont les deux filles jaillissaient comme des succubes voulant engloutir Brian Jones. De mon ton le plus enjoué et le plus flegmatique je dis :

— Ah oui, drôle, Marianne Faithfull parle de cette séquence de *Dracula* dans ses Mémoires. Elle y voit le symbole des sixties.

Ce disant, je suivais la main de Brian qui s'enfonçait entre les jambes d'Esther pendant que la tête de celle-ci descendait le long du ventre du garçon vers le bas de l'écran.

J'avais l'habitude de ce genre d'images, vu l'exhibitionnisme professionnel d'Esther. J'admirai par contre la rapidité avec laquelle elle était entrée dans le vif du tournage. Ce côté libre et disponible me plaisait et me repoussait tour à tour, cette vitesse d'adaptation, agilité dont les effets vidéo renforçaient l'allure reptilienne, était à la fois fascinante et inquiétante. Presque robotique. À sa décharge c'était un trait commun à toute sa génération. Ils étaient à la fois prudents, soucieux de leur santé comme des retraités de Miami, et d'une grande souplesse d'échine ; avec cela, obsédés par le contrôle de leur image et la publicité dont ils étaient leur propre agent. Tout l'attirail pop, drogues, tatouages, nudité, se déclinait avec une maîtrise digne du studio de création des grandes marques de luxe, dont leurs modèles, chanteurs de R'n'B ou It-girls, étaient les ambassadeurs.

L'image s'arrêta sur un plan fixe… je regardai la bouche d'Esther entrouverte sur le ventre du petit, son maquillage impeccable et son œil sombre qu'une larme décorait comme une perle sur un pendant d'oreille. Cette fille n'était pas la mienne, mais son avatar et je me dis que j'aimais bien aussi les avatars de mon amour.

Le Coréen appela la régie, il donna en langue chiffrée un certain nombre de directives pour le studio d'effets spéciaux qui se trouvait à Toronto. En même temps, avec la main, il nous montrait comment il souhaitait que les draps enveloppent les visages et la peau des intervenants avec davantage de fluidité aquatique et sanguinaire.

Quand il eut fini je lui parlai du premier chant de l'*Iliade*, lorsque Thétis apparaît à Achille nimbée de la vapeur maritime qui lui confère sa brillance d'immortelle. Les deux garçons, si différents, m'écoutèrent avec intérêt. Les gens qui se lamentent sur la disparition de la culture classique m'ont toujours semblé des râleurs. Le monde d'Homère a sa place, loin de l'École normale, dans les nouvelles citadelles du savoir, laboratoires d'effets spéciaux, fabricants de mythes, féticheurs du futur.

La séance de travail fut brève et efficace. Le Coréen ne s'embarrassait pas de compliments, il attaqua aussitôt les points faibles du script. Son idée de metteur en scène était d'utiliser les deux personnages de Thorogood et de Tom Keylock, en contrepoint. La séquence du meurtre où Thorogood noyait Brian Jones allait être montée en parallèle avec l'arrivée nocturne de Tom dans la propriété. Au moment où ce dernier gare sa voiture, Brian est déjà mort. Thorogood a disparu pour aller baiser la petite Suédoise. Tom va à la piscine, attiré par les lueurs bleues qui se reflètent sur les arbres et les sculptures ornementales (Porcinet), il s'approche du bord et voit la forme floue du cadavre de Brian au fond de l'eau. Le plan est pris en plongée, puis dans un second temps, une fois que Tom est allé chercher les autres pour l'aider à tirer le corps, en contre-plongée (comme dans *Sunset Boulevard*, séquence d'ouverture). Toute la scène du sauvetage ratée serait muette, vue de sous la surface de l'eau, du point de vue de Brian, mais ce perfectionniste voulait néanmoins que j'écrive les dialogues.

Je demandai à me retirer quelques minutes, le Canadien et tous les intrus qui n'arrêtaient pas de faire claquer les portes du saloon m'empêchaient de me concentrer.

Quand j'ouvris la porte de la chambre, j'aperçus Esther dans la pénombre couchée sur le lit. Elle portait sa tenue de sport, un caleçon noir, une brassière en lycra. Comme à l'ordinaire, elle avait noué un foulard autour de ses yeux pour faire la sieste. Quand je m'adressai à elle, elle grogna indistinctement et se mit sur le flanc pour me tourner le dos.

Ému par sa présence, je me sentais plus seul que jamais. Le sortilège était tombé, nous ne nous appartenions plus. La force de notre relation reposait sur l'exclusivité et la fusion, il était rare que nous nous trouvions tous deux en société, et les fois où cela nous était arrivé, par exemple lors d'une invitation en week-end chez des amis, notre intimité avait du mal à survivre en vase clos sous le regard des autres. Ici c'était encore pire. Mes devoirs de scénariste et sa frénésie de socialisation nous entraînaient dans deux courants contraires. Nos rencontres, les moments où nous nous retrouvions en tête à tête étaient embarrassés par des liens extérieurs qui me semblaient diminuer notre valeur aux yeux l'un de l'autre. J'étais un employé et elle, une petite comédienne, une jolie fille de plus. C'est dans cet état moral que j'essayais d'incarner la violence de Thorogood, l'assassin occupé à baiser la copine du mort, dérangé par un autre mâle, plus âgé, dont la rage, quoique plus contenue, est aussi forte.

Me vint l'idée d'une bagarre, d'un début d'affrontement physique entre les deux hommes. Thorogood nu en train de saillir la petite est arraché à sa proie par Tom, habillé en costume. Il se jette sur l'intrus qui lui colle un coup de poing dans l'estomac. Brutalité anglaise, celle de chiens de combat, bien rendue à mon sens. J'avais besoin d'écrire cela, et les insultes, pour m'épancher d'une violence rentrée que je sentais monter en moi contre Esther.

La scène était bonne. Je me levai de mon bureau sans vouloir regarder Esther qui pourtant baissa le foulard qui lui bandait les yeux. Nous nous jaugeâmes un bon moment dans un silence féroce. Elle me dit :

— Qu'est-ce qu'il y a ?

Cette question n'était pas une question. Je ne répondis pas.

— Qu'est-ce qu'il y a, pourquoi tu me regardes comme ça ? J'ai fait quelque chose ?

Horrible ton de la femme lasse et méprisante qui en veut à son mâle d'avoir laissé approcher un autre mâle et maintenant de jouer les jaloux comme un faible. Je connaissais la musique. Elle se sentait coupable alors elle m'attaquait. Je me dis que je devais interpréter, qu'il y avait une bonne part de mauvaise humeur. La sieste ne lui réussissait jamais. Je lui répondis qu'il n'y avait rien, que j'étais attendu par le Coréen. Elle se retourna en soupirant.

Ce soupir me fit plus mal encore, j'ouvris la porte puis renonçai à sortir, j'avais besoin de boire, j'allai chercher ma bouteille de whisky dans la salle de bains et je me souvins soudain de l'opium. La VHS de *L'Exorciste* était posée sur la table de nuit, je l'ouvris et je récupérai la boule de drogue serrée dans du papier d'aluminium.

La voix d'Esther me parvint de la pièce à côté, adoucie :

— Qu'est-ce que tu fais Mimi ?

— Je picole.

— Tu as raison. Tu viens me chercher après ?

Je retournai dans la chambre, elle était allongée sur le dos en train de retirer le collant de sport.

— Mimi !!!

— Oui ma chérie ?

— Je t'aime !

— Moi aussi ma chérie.

Je ne pus m'empêcher de l'embrasser.

Une assistante me dit que le Coréen m'attendait près de la piscine. Je traversai à nouveau le faux jardin anglais en plastique. Les plantes n'étaient plus arrosées comme tout à l'heure pour donner du brillant aux feuillages. L'eau avait séché, laissant de petites flaques sales et des taches blanches sur la surface des feuilles découpées au laser. La piscine éteinte était jaunâtre. Porcinet souriait seul dans le crépuscule.

Pas d'équipe, pas de Coréen, j'avais dû me tromper de piscine. Au fond de l'eau je crus apercevoir un bout de chiffon, glaire immobile. Les frusques de Brian Jones étaient restées pliées sur le bord du bassin. Un pantalon de velours, des bottes de daim poussiéreuses. Une silhouette se faufila derrière un yucca branlant qu'on maintenait droit avec des rubans de scotch gaffer. Une assistante accessoiriste venait récupérer le paquet de vêtements. Je lui demandai où était le Coréen, elle me pria d'attendre un instant et donna un coup de talkie-walkie. Je m'assis sur un mur en plâtre imitant la pierre. Les voix grésillaient. Regardant mes pieds, je pensai à un témoignage que je venais de repêcher dans ma documentation. Une remarque de Suki Potier rapportée par je ne sais qui, dans un vieux journal d'époque que le Coréen m'avait forwardé. Une remontée de fraîcheur venue de l'abîme du temps. Lorsque Keith et Mick avaient quitté Brian après lui avoir annoncé qu'il était viré du groupe et remplacé par Mick Taylor pour la tournée US, Brian était resté, d'après Suki, dans la « vieille cuisine, assis sur une chaise, *immobile comme un animal traqué qui fait semblant d'être mort* ». Ce genre d'image, fraîche, jaillie dans l'immédiat, disparaît avec les repassages et l'usure de l'histoire. Torturé par les grésillements du talkie-walkie, au milieu des plantes artificielles, un zoo oublié, je ressentais intimement ce silence immobile. À cet instant, j'étais Brian.

— Monsieur ? Monsieur ?

L'assistante me dit que le réalisateur m'avait guetté à la piscine marocaine, mais qu'il était parti car il avait « un call » avec la production tous les soirs à sept heures.

Était-ce de l'accablement ou de la jouissance ? Ou alors une jouissance de l'accablement ? Le moment précis où ce que l'on attendait arrive ? Quoi de plus enfantin que cette manière de rester immobile, assis, penché sur ses pieds ? Quoi de plus masochiste, attitude de petit garçon puni ? À un moment, dans la vie, il y a ceux qui continuent à vivre, qui vont de l'avant et ceux qui s'arrêtent, qui s'asseyent sur le bord de la route pour regarder leurs pieds. À l'époque, à la fin des années 1960, les gens allaient au cinéma voir des westerns où des types à cheveux longs, habillés comme les Rolling Stones, pantalons rayés, bottes de cuir, casquettes confédérées, jouaient, peut-être en Espagne, sur les collines en face, des petits drames simples. Le type blessé que les copains abandonnent après l'attaque de la banque. Lorsque la vie arrive au point de rupture où la souffrance attendue, espérée, se produit exactement dans les conditions prévues, même si on ne l'attendait pas justement ce jour-là, pensant que les copains venaient seulement boire un verre, prendre de vos nouvelles et que c'est quand même une surprise, à ce moment où le canevas du réel s'appuie sur le scénario redouté et désiré à la fois, l'épouse parfaitement, ce sont des scènes de film qui viennent à l'esprit. À l'époque, des scènes de westerns. La tête dans les mains dans la « vieille cuisine » de Redlands, Brian regardait ses bottes sous la table, comme on regarde intensément les choses à l'annonce d'une mauvaise nouvelle. Il bougeait ses pieds, fasciné par la poussière sur ses bottes. Il se faisait du cinéma. La scène du desperado abandonné, le western. Le moment où les autres disparaissent à l'horizon.

Je levai la tête, la nuit tombait sur les décors et derrière, sur le grand décor de la vie. Ici, une colline grise teintée de parme au crépuscule. Un unique palmier se détachait sur le ciel comme en Égypte ou à Los Angeles. Ma dernière scène à moi, celle pour laquelle je m'étais préparé depuis longtemps, était en place. L'heure venue, il fallait se lever, agir. Depuis que je ne regardais plus mes pieds, j'avais le trac. J'étais seul sur les plateaux endormis. On entendait le bruit d'un générateur en même temps que montaient des odeurs de plats en sauce réchauffés. L'équipe allait dîner. Un oiseau, un vrai, s'envola d'une plante artificielle, je me faufilai entre les faux buis et les faux hortensias. Je tâtai la boule d'opium dans ma poche. J'entendis la voix d'Izmir, « ton cœur explose… » Il fallait que je boive un coup.

J'allai à ma chambre, elle était vide. J'entendis de l'eau couler dans la salle de bains, Esther prenait une douche. J'attrapai le sac jaune, il contenait une seconde bouteille de whisky pleine, encore emballée dans du carton, ma réserve. Je sortis d'une des poches de ma veste militaire les feuilles sur lesquelles j'avais noté les dialogues de la scène de repêchage du cadavre et je les laissai en évidence, pliées sur ma table de nuit, sous le badge d'identification qui me donnait accès aux salles techniques. L'équipe pourrait travailler à partir de ce matériau qui était bon. J'en profitai pour ramasser près de la lampe de chevet un flacon de pilules anxiolytiques, je le secouai, il était à demi plein, je le fourrai dans la poche de mon pantalon, contre la boule d'opium. Je m'évadai de la chambre en catimini avec ma bouteille au moment où l'eau venait de s'arrêter dans la salle de bains.

Je pensai au manuscrit, la nouvelle pas le scénario. La serviette de cuir était restée dans le coffre de la BMW. Esther avait l'œil, elle la trouverait demain sans difficulté. Une œuvre inachevée mais qui ne manquait pas de qualités, de nerf un peu, certainement.

Le faux jardin anglais n'avait plus l'air si faux maintenant que la nuit était tombée. Le vrai, celui de Brian, ne devait pas avoir l'air plus vrai. Rien n'a jamais l'air vrai à la lumière de l'insomnie cadavérique, ce moment où le mort est déjà mort, même s'il respire ou parle encore. Un jardin de dessin animé. Les derniers temps, Brian Jones se disait enthousiasmé par la nature, ce nouveau cadre dans lequel il allait pouvoir créer, loin de Londres et des tentations. Avec des « vraies gens » (la nouvelle bande de minables qui l'entourait). Il avait fait venir ses parents, j'avais retrouvé le témoignage de son père en même temps que la comparaison dans la bouche de Suki avec la bête qui fait la morte. Je ne me rappelais plus qu'il avait un père. Quand une pop star a perdu son groupe, qu'elle n'a plus trop d'amis, qu'elle n'arrive pas à trouver de musiciens pour travailler avec elle, elle se rapproche de ses parents. Comme Marianne était retournée chez Eva von Sacher-Masoch, au fond de la défonce après la tentative de suicide australienne.

Le lien des parents avec la défonce est toujours le plus profond. Celui que l'on retrouve à la fin quand tout est dénoncé.

Je m'approchai de la piscine, l'eau s'était encore troublée. Je me rendis compte qu'elle était phosphorescente, couleur d'émeraude. Quelqu'un avait allumé le bassin.

Je m'assis sur un muret de ciment qui marquait la bordure des massifs avant la dalle de la piscine. Je sentais soudain quelque chose de faux en moi. Une complaisance que je n'avais jamais laissée entrer auparavant. J'eus la certitude que le suicide était un péché contre la bonne foi bien plus grave que je ne le croyais jusqu'ici. Il fallait être un menteur pour en arriver à se tuer. Je mis beaucoup de temps à ouvrir le carton de la bouteille de whisky. L'emballage finit par tomber sur la dalle avec un bruit creux. Je faillis me casser un ongle à défaire la cosse métallique qui entourait le bouchon. Toute cette mise en scène me paraissait de plus en plus médiocre. Ce qui marchait dans ma tête se vidait de toute matière à cause de ma propre incapacité à jouer mon rôle. Je n'étais pas l'homme assis sur le muret qui s'apprêtait à avaler une dose mortelle d'opium et à se laisser tomber dans l'eau sale d'une piscine de farce, un bassin pour enfants. L'idée qui me séduisait tout à l'heure, mourir comme Brian à la place de Brian, n'était qu'un projet littéraire et de ma vie je n'avais pu me résoudre à respecter un plan. Le whisky n'atténua pas la conscience de mon imposture. Il eût fallu que j'en boive plus et surtout que je m'attaque à la provision de pilules anxiolytiques pour que mon intelligence accepte de se laisser corrompre par une visée narcissique aussi médiocre. Je restai assis sur le mur, vaguement anesthésié par l'alcool, sachant que je n'allais pas me tuer. J'allais finir mon travail de scénariste, rouvrir le livre demain matin, me trouver un coin tranquille pour écrire, une table de bois, une petite chaise. Peu importe ce que j'aurais fait ce soir, peu importe les épreuves que la nuit allait m'imposer. J'étais vivant pour encore quelque temps. Esther ne me quitterait jamais du jour au lendemain, elle était attachée à moi par des liens bien trop solides, et tout à l'heure j'avais bien vu qu'elle m'aimait. C'était ma propre fixation sur Brian Jones, le devoir que j'avais de me mettre à sa place qui m'avait induit en erreur. Je repensais à la scène à écrire où Marianne Faithfull se suiciderait à Sydney. L'appel des morts, quand l'apparition qui aurait la figure de Brian et qui ne serait que l'avatar d'une vision d'elle-même dans le miroir de la salle de bains, essayerait de la convaincre de sauter par la fenêtre de l'hôtel qui, heureusement, ne pourrait pas s'ouvrir.

Éclairé par la surface verte de la piscine, le masque de Porcinet prenait la couleur infernale d'une suggestion diabolique. Il y a de ces verts de meringue dans le triptyque de Grünewald à Colmar. La faiblesse du trait, bouille crayonnée par un fabricant d'imagerie enfantine, on pouvait penser aux trois petits cochons de Walt Disney, mais aussi à des publicités de charcuterie industrielle du genre Cochonou, ce visage sans âme et même sans ardeur vitale, modelé dans le ciment suivant un poncif aussi faible et rigide que ceux que les artistes orientaux de la décadence calquaient sur les grands mythes babyloniens, Porcinet si éloigné de l'essence du Grand Porc Primitif qui grogne encore à l'heure où j'écris dans les pâturages du ciel, ne me regardait pas, non qu'il m'ignorât, mais la faiblesse de sa forme, l'idéal médiocre auquel il était limité, me renvoyait à un monde, purgatoire sans issue, auquel je ne voulais pas me confronter. Assis sur mon muret avec mon ventre qui débordait de mon pantalon, je me faisais penser à l'acteur Bob Hoskins dans le film horriblement métis de dessin animé et de cinéma *Roger*

Rabbit, lui au moins est amoureux d'un *toon*, moi je ne ressentais rien pour Porcinet, dont les traits, agités par les luminescences baudelairiennes de la piscine, me rappelaient maintenant ceux de quelqu'un avec qui j'avais travaillé autrefois, cette indifférence réciproque, plus forte car moins maîtrisée de son côté à lui, puisqu'il était en ciment, ne me donnait pas envie de garder pour ultime image rétinienne cette effigie que Brian Jones, dans son monde infantile et désespéré, avait peut-être contemplée lui aussi pour la dernière fois.

Un ding m'interrompit, un message :

« *Chéri on me propose un boulot, dis-moi ce que tu penses du synopsis ? Tu vas voir… drôle de hasard. Je t'aime mon amour. Hâte d'être dans tes bras Esther.* »

Je cherchai mes lunettes pour lire ce qui suivait, une saisie sur écran :

Coucou Esther
J'ai un gros casting pour toi pour un tournage pour Renault.
Es-tu dispo aux dates du job ?

23, 24, 25 novembre

Tarif T7 X1 ou 2 jours /droits 3000e CAI Renouvellement+10 %

Le casting est le 3 novembre tu me confirmes que tu iras ?

IDÉE DU FILM
Ce film est traité comme un film mode et un clip musical, avec une ambiance visuelle très graphique et une image en N&B.

Il est une ode à la nuit dont l'esthétique célèbre cette édition de la Twingo Rolling Stones de façon totalement hypnotique et musicale. Mais c'est aussi une histoire ultra-dynamique, emmenée par une héroïne charismatique que nous voulons suivre tout au long d'une soirée avec ses amis.
PITCH
On suit notre héroïne qui récupère sa Twingo Rolling Stones et sillonne la ville pour aller exfiltrer ses potes et les embarquer dans une autre soirée. En très peu de plans et avec un montage très dynamique, une musique électro hyper-rythmée, on raconte comment elle retrouve et entraîne la personne qu'elle cherche, l'arrache avec beaucoup de naturel et de fluidité au lieu où elle se trouve pour l'embarquer joyeusement au point de destination finale : une fête dans un lieu sublime et inattendu.

TON RÔLE CHLOÉ La copine DJ : elle joue du synthé aux côtés du DJ elle court avec les 2 pour aller faire la fête ailleurs.
Look de clubbeuse, genre Berlinoise, coupe courte ou stylée.

PLEASE CALL ME ON MY DIRECT LINE ONLY

Un vent frais me caressa le visage, la vie. Je répondis :

« *Fais-le chérie c'est cool !* »

Sur Instagram, Mick Jagger venait de passer une photo de lui pour Halloween avec Ron Wood. Ils portaient tous deux des déguisements d'enfant en plastique. Lui était en fantôme et Ron en zombie.

Un nouveau ding :

« Si je fais Twingo, tu crois que Chanel ou Dior penseront toujours à moi ? »

Cet ouvrage a été imprimé
par CPI Brodard & Taupin
pour le compte des éditions Grasset
à La Flèche (Sarthe)
en novembre 2022

Mise en pages Nord Compo à Villeneuve-d'Ascq

N° d'édition : 22676 – N° d'impression : 3050851
Première édition, dépôt légal : août 2022
Nouveau tirage, dépôt légal : novembre 2022
Imprimé en France